Desde la sombra

Seix Barral Biblioteca Breve

Juan José Millás
Desde la sombra

Seix Barral, un sello editorial de Editorial Planeta, S. A.
Avda. Diagonal, 662-664, 08034 Barcelona (España)
www.seix-barral.es
www.planetadelibros.com

Diseño original de la colección: Josep Bagà Associats

Primera edición: abril de 2016
ISBN: 978-84-322-2738-7
Depósito legal: B. 5.366-2016
Composición: Gama, S. L., Barcelona
Impresión y encuadernación: CPI, Barcelona
Printed in Spain - Impreso en España

El papel utilizado para la impresión de este libro es cien por cien libre de cloro y está calificado como **papel ecológico**.

Todas las historias de amor
son historias de fantasmas.

David Foster Wallace

PRIMERA PARTE

1

Sergio O'Kane estaba preguntando a Damián Lobo con qué pez se identificaba más:

—¿Con el tiburón, con la sardina...?

—Con el tiburón, no —respondió Lobo—, carezco de la agresividad que le es propia, soy una persona con escrúpulos. Tampoco con la sardina. No sé, quizá con la morena.

—¿Por qué la morena?

—No es gregaria, se mimetiza con el paisaje, y vive en aguas tropicales. Yo soy un poco friolero.

Sergio O'Kane no existía, era una construcción mental que Damián Lobo utilizaba para hablar consigo mismo. Le contaba cuanto le ocurría, y por lo general en el momento de ocurrirle, a través de una entrevista imaginaria que mantenía con él desde la mañana hasta la noche. El encuentro se retransmitía por televisión para todo el mundo, con traducción simultánea en aquellos países donde no se hablaba español. En la fantasía de Lobo, se llevaba a cabo en directo, con público en el estudio, y gozaba de una audiencia incalculable.

En el principio, O'Kane era apenas una voz interior, sin rostro ni historia. Con el paso de los años, Damián Lobo lo había ido dotando de una apariencia física y de una esquemática biografía. Natural de Madrid, O'Kane era hijo de un diplomático norteamericano, de ahí su apellido. De unos cuarenta y cinco años y raza aria, medía un metro ochenta y, aunque delgado, su abdomen sobresalía ligeramente del plano de su tórax. Llevaba siempre trajes oscuros, camisa blanca y corbatas algo extravagantes, sujetas a la camisa por un pasador de oro. Se abrochaba el botón central de la chaqueta al levantarse y se lo desabrochaba al sentarse con un gesto de los llamados casuales cuya elegancia fascinaba a Damián.

El magnetismo de su rostro se concentraba en los ojos, de color amarillo, y en la boca, cuyos labios, muy gruesos, mostraban al dilatarse una dentadura extensísima, como si poseyera más piezas de las habituales. La nariz, correcta y proporcionada, pasaba inadvertida entre aquellos accidentes faciales. La frente, lisa y amplia, se prolongaba en unas entradas profundas que, lejos de disimular, exhibía alisándose el pelo hacia atrás.

—Sigue usted en el paro después de que le despidieran sin contemplaciones, hace más de dos meses, de la empresa en la que llevaba trabajando veinticinco años —le había dicho O'Kane.

—Y en la que entré a los dieciocho —puntualizó Damián.

—Debe de haber sido muy duro. Díganos, ¿qué piensa del capitalismo sin alma?

Damián Lobo meditó unos instantes y respondió que él se había desenvuelto en el capitalismo como los peces en el agua.

—Sin comprender el medio —añadió—, igual que el pulpo no necesita comprender el océano para vivir en él.

—Y, en ese ecosistema, usted, señor Lobo, ¿con qué pez se identifica más, con el tiburón, con la sardina...?

—Con el tiburón, no, desde luego. Carezco de la agresividad que le es propia. Soy una persona con escrúpulos. Tampoco con la sardina. No sé, quizá con la morena.

Los presentes en el estudio rieron. Reían con frecuencia ante las salidas de Damián, no necesariamente graciosas. Pero si él imaginaba que se reían, se reían, qué podían hacer.

Ahora, mientras en la mente de Damián discurría la entrevista imaginaria con O'Kane, su mano se llevaba a los labios la taza de té, todavía demasiado caliente. Se encontraba en el extremo de la barra de una cafetería estrecha y oscura, algo alejado del resto de los clientes, como una morena escondida en una grieta del fondo marino. Acababa de comer en casa de su padre y de su hermana, que vivían en Arturo Soria, y había decidido caminar un poco antes de meterse en el metro para regresar a la suya.

La alusión de O'Kane al capitalismo sin alma le trajo a la memoria el encuentro familiar, que comenzó a narrar al entrevistador imaginario mientras se enfriaba el té.

—Verá —le dijo—, mi hermana mayor, que es china, vive con mi padre.

—¿Y a qué se debe? —preguntó O'Kane.

—¿Que viva con mi padre?

—No, que sea china.

—Ah, la adoptaron cuando era un bebé porque no podían tener hijos, y luego, a los dos años, mi madre se quedó embarazada sorpresivamente y aparecí yo.

—¿Cuando ya no le esperaban? —preguntó O'Kane.

—Así es, cuando no me esperaban.

El público del plató permanecía ansioso. La audiencia debía de estar entrando en el canal como los peces en la red. Damián Lobo y Sergio O'Kane lo percibieron y actuaron como solían. El presentador dejó que la cámara captara un primer plano de sus ojos amarillos, donde se producían llamaradas que recordaban a las tormentas solares, y apremió con un gesto al invitado para que continuara su historia.

—Como le digo —prosiguió Damián Lobo tras una pausa generadora de tensión—, mi hermana es dos años mayor que yo, así que cuando yo tenía catorce, ella tenía dieciséis y era ya una china muy desarrollada.

En estos momentos se produjeron entre el público los murmullos que solían preceder a la risa, a la sonrisa al menos. Damián Lobo adivinó un gesto de aprobación en la mirada de Sergio O'Kane y calculó a toda velocidad hacia dónde dirigir el relato:

—De modo que, imagínese: yo en plena adolescencia y ella en pleno desarrollo... Salía del cuarto de baño cubriéndose apenas con la toalla, o atravesaba el salón a medio vestir...

—¿Y no le inquietaba a usted el hecho de que fuese su hermana? —intervino Sergio O'Kane sofocando los primeros conatos de risa.

—Oficialmente era mi hermana, de acuerdo, sí, pero ni había venido del vientre de mi madre ni habían intervenido en su creación los espermatozoides de mi padre. Es más, pertenecía a otra etnia, sus orígenes en realidad nada tenían que ver con los míos. En tales circunstancias, no creo que sea correcto calificar mis deseos de incestuosos. Tampoco los de ella.

—¿También ella se sentía atraída hacia usted?

—No sé si era atracción, el caso es que desde que yo era muy pequeño empezó a jugar con mi pene.

El público estalló en una carcajada que el presentador no reprimió. Damián, por su parte, permaneció serio, como siempre que el público reía. Sabía que la seriedad aumentaba los efectos cómicos de sus intervenciones. En ese instante, pensó, el programa debía de estar siendo *trending topic*.

—Empezó a jugar con su pene... —repitió al cabo Sergio O'Kane.

—Sí, desde que tengo uso de razón la veo ahí, pidiéndome que me baje los pantalones para jugar con él. A veces venía a mi cuarto y ella misma me quitaba el pijama. Cogía el pene, lo colocaba en una postura, en otra, lo estrujaba entre sus manos, se lo llevaba a la boca...

Una nueva interrupción provocada por las risas del público obligó a Damián a guardar silencio, esta vez añadiendo al gesto de seriedad habitual una expresión de extrañeza muy ensayada, como si no comprendiera el porqué de las risas.

Cuando Sergio O'Kane, que también había reído con ganas, logró calmar al público, Damián Lobo continuó:

—Siempre quería acompañarme al cuarto de baño para sujetármelo mientras orinaba. Estaba obsesionada con él.

—¿Y sus padres qué decían?

—Mis padres no se enteraban. Ella sabía cuándo hacerlo.

—¿Y usted qué pensaba?

—Yo no pensaba nada, aquellos juegos empezaron cuando yo era muy pequeño y por lo tanto formaban parte de la normalidad.

—¿Y no cesaron nunca?

—Nunca, en cada edad con unas consecuencias distintas, claro.

El público reía ahora de forma intermitente, para no perderse ni una de las palabras del entrevistado.

—¿Pero por qué me cuenta todo esto? —preguntó O'Kane.

—Porque su alusión al capitalismo sin alma me ha traído a la memoria que hoy he comido con mi padre y con mi hermana.

—¿...?

—Verá, a partir de un momento determinado, no recuerdo qué edad podía tener yo, quizá doce o catorce años, mi hermana china, que por cierto se llama Desiré, comenzó a referirse a mi pene como *el pene con alma*.

En esta ocasión, el primero en estallar en risas fue el propio presentador, al que siguió, entusiasmado, el público. Damián, por su parte, permaneció imperturbable, algo perplejo, mirando a un lado u otro del plató como preguntando qué les ocurría a los técnicos que se encontraban detrás de las cámaras.

—De modo que su pene —dijo O'Kane aún con la respiración entrecortada— es un pene con alma. ¿En contraposición a cuál?

Damián Lobo dudó. Luego dijo:

—Al de mi padre, creo. Quizá al de los hombres en general.

El dramatismo con el que pronunció la frase sumió al público en un silencio tan intenso como las risas anteriores.

—No le voy a pedir que nos lo enseñe —reaccionó al fin O'Kane tratando de quitarle gravedad al asunto—, pero su pene debe de tener alguna particularidad para que su hermana le atribuya la existencia de un alma.

—Tiene cara de buena persona.

—¿Su hermana?

—No, mi pene.

Ahora sí, el público rompió de nuevo en carcajadas y en la expresión de O'Kane se adivinó un gesto de alivio, como si hubieran regresado a un territorio conocido.

—Disculpe las risas —dijo el showman tras dejar que el público se recuperara—, pero no habíamos oído hablar nunca de penes sin alma o con alma.

La entrevista, calculó Damián, debía de estar siendo un éxito, pero había alcanzado un clímax difícil de superar, por lo que decidió añadir una nueva dosis de dramatismo para rebajar la tensión.

—Si mi padre estuviera viendo este programa, se moriría de vergüenza —dijo.

—¿Y eso? —preguntó O'Kane.

—Detesta la televisión basura. Él solo ve Canal+, al que está abonado desde sus orígenes.

—¿Y consideraría que esto que hacemos usted y yo es televisión basura?

—Seguramente sí, por los asuntos de los que hablamos y por la ligereza con la que lo hacemos.

—Díganos más cosas de su padre.

—Es catedrático de universidad y un crítico de cine muy reputado. Un intelectual. Su casa está llena de libros que de pequeño me daban miedo.

—¿Y eso?

—Porque cada vez que pasaba junto a ellos me imploraban que los leyera.

—¿Habla usted metafóricamente?

—No, no, podía escuchar sus voces susurrándome: «Léeme, por favor, léeme». Ello se debe a que mi padre se escondía en un hueco de la librería y, cambiando la voz, decía eso: «Léeme, por favor, léeme», una frase que se introdujo en mi cabeza y que aparece cada vez que paso cerca de un libro.

—¿Algunos libros le daban más miedo que otros?

—Siempre trataba de evitar la zona de la librería donde se encontraba la literatura rusa del siglo XIX. Pronunciaban el *léeme* con una voz ronca llena de angustia.

—¿Y los leyó?

—Nunca, yo solo leo manuales de usuario, folletos de instrucciones.

—¿Instrucciones de qué?

—De todo, del manejo de los electrodomésticos, por ejemplo, y de las máquinas en general. Las normas de los juegos de mesa me encantan.

En ese momento, aprovechando el éxito de la respuesta, Sergio O'Kane anunció la entrada de un bloque de publicidad y Damián Lobo regresó a la barra de la cafetería, donde el té se había enfriado lo suficiente como para llevárselo a los labios. Imaginó lo que dirían por la mañana las críticas de televisión de los periódicos de todo el mundo. Quizá, como ya había ocurrido en otras ocasiones, desbordarían las páginas especializadas para ocupar las portadas. «Léeme, por favor» era un buen titular para reclamar la atención del público.

Cuando estaba terminando el té, la publicidad dio de nuevo paso al programa, al que Damián se trasladó mentalmente para continuar contando cosas de sí mismo. Dijo que después de la comida familiar su padre se había quedado dormido viendo en Canal+ una entrevista de Iñaki Gabilondo a un conocido director de cine.

—Mi padre adora a Iñaki Gabilondo —dijo—, porque...

—Ya —le interrumpió O'Kane, como si tuviera celos del conocido periodista—, pero no nos ha contado nada de su madre.

—Mi madre era como un apéndice de mi padre, como una extensión suya, así la veía yo. Mi padre era para ella lo mismo que Iñaki Gabilondo para él. Antes de morirse, hace ya diez o doce años, daba clases de química en un instituto público, y creo que era buena profesora, pero cuando llegaba a casa se mimetizaba con mi padre y no había forma de distinguirla de él. Yo creo que se murió porque era lo que mi padre deseaba, para quedarse a solas con mi hermana china.

—¿Dice que su padre quería quedarse a solas con su hermana?

—Sí, pero de esto prefiero no hablar.

Para aliviar el gesto de decepción del entrevistador y del público, Damián Lobo contó que ese día, mientras su padre dormitaba frente a la pantalla de la televisión, él y su hermana china se habían retirado a la habitación de ella.

—¿Para jugar con el pene con alma? —preguntó O'Kane con ironía.

—En efecto —respondió Damián explayándose, para regocijo del público, en las prácticas sexuales que los dos hermanos habían llevado a cabo después de la comida familiar.

Cuando comenzó a describir con cierto detalle cómo eran la vulva y la vagina de su hermana china, O'Kane debió de recibir órdenes de cambiar de tema a través del pinganillo, pues casi sin transición preguntó:

—¿Y a qué se dedicaba la empresa de la que le han despedido?

—Bienes de equipo. Yo era el responsable del mantenimiento —respondió Damián.

—¿Se encargaba de los enchufes, la fontanería, todo eso...?

—Tiene usted una imagen muy pobre acerca de esa responsabilidad, señor O'Kane. Para ser jefe de mantenimiento, especialmente en nuestros días, se requiere una capacitación técnica de altísimo nivel.

—¿Pues qué formación tiene usted, Damián?

—Yo entré en la empresa muy joven, de aprendiz, porque, para disgusto de mi padre, hice formación profesional, en la rama de electricidad, y era muy hábil con las manos. Me he formado en el trabajo práctico diario y he tenido a mis órdenes a ingenieros jóvenes, con muchos conocimientos teóricos, pero incapaces de resolver problemas de los que exigen respuestas inmediatas. De todos modos, cuando yo empecé, no se exigían para este puesto laboral los requisitos académicos de ahora.

Damián abandonó en este punto la entrevista con O'Kane (por alguna razón le costaba concentrarse en sus ensoñaciones habituales) y volvió a la realidad. La clientela de la cafetería, que había aumentado, se agolpaba en la parte de la barra más alejada de él y más cercana a la puerta. Volvió a pensar en sí mismo como en una morena oculta entre las rocas de coral, al acecho de una presa, quizá protegiéndose de un depredador.

—¿En qué consistía entonces su trabajo? —oyó que le preguntaba O'Kane desde la otra dimensión.

—Yo planificaba las actividades del personal, asignaba tareas, supervisaba el estado de las instalaciones, hacía los pedidos de materiales y repuestos, estimaba el coste de las reparaciones —respondió regresando precipitadamente al plató.

—Un quehacer multidisciplinar.

—Sí, se requieren conocimientos básicos de todas las ramas de la actividad industrial: albañilería, pintura, electricidad, fontanería... Y también de informática. Soy un usuario avanzado de internet.

—¿Y eso?

—En parte —dijo—, gracias a la pornografía asiática. Me paso la vida buscando coñitos asiáticos en la Red.

El público presente en el estudio, cuya atención había decaído con la referencia a los asuntos laborales, celebró la salida de Damián Lobo, que advirtió a su vez, en los ojos amarillos del presentador, unos fulgores que delataban alegría. En ocasiones resultaba agotador mantener la audiencia en los niveles a los que O'Kane estaba acostumbrado.

—Coñitos asiáticos —repitió el showman.

—Se debe a la fijación que tengo con mi hermana china. Y eso que apenas nos vemos. Hacía casi un año que no iba a la casa de mi padre. A mi padre le repugna que mi ropa huela a tabaco. Hace siempre un gesto de asco cuando me acerco a besarlo. También le repugna que me parezca físicamente a él.

—¿Fuma usted mucho?

—No mucho, pero es un tabaco muy aromático, Camel. Ya lo voy a dejar.

—¿Cuándo?

—En algún momento. Diré hasta aquí hemos llegado y lo dejaré. No me cuesta trabajo cuando tomo la decisión.

—Decía que era un usuario avanzado de internet.

—Sí, en parte por lo que ya le he dicho, y porque he dado cursos de programación y recuperación de archivos. En parte también porque soy curioso y aprendí por mi cuenta a no dejar rastros de mis búsquedas. Muchas de ellas las hacía desde el ordenador de la empresa.

El ruido del chorro de vapor de la cafetera arrancó a Damián Lobo de la ensoñación televisiva, a la que le dio pereza volver. Los grandes éxitos le dejaban un poco deprimido.

Llamó al camarero, pagó el té y salió del bar para encender un cigarrillo. Se movía por las calles como un pez en las aguas profundas del océano, siguiendo una trayectoria errática, ondulante, para evitar el contacto con el resto de las especies con las que se cruzaba.

En esto, pasó frente a un centro comercial donde se anunciaba un mercadillo de antigüedades a beneficio de la infancia sin hogar. Entró por hacer tiempo, como una morena habría penetrado en una gruta atractiva que le saliera al paso, y comprobó que los puestos del mercadillo ocupaban gran parte de los espacios libres del centro comercial. Si él hubiera sido el jefe de mantenimiento de aquellas instalaciones, pensó, no habría permitido aquella profusión de puntos de venta que dificultaban el acceso a las salidas de emergencia.

En los improvisados mostradores, cubiertos con mantelerías caras que también estaban a la venta, se exponían relojes antiguos, cadenas, pitilleras, gargantillas, portafotos, pulseras, sortijas... Mucho oro, mucha plata también, y abundantes objetos de otras épocas cuya mera contemplación serenó el agitado ánimo de Damián.

Entonces, en uno de los puestos descubrió algo que reclamó su atención: un pisacorbatas de oro en cuyo centro aparecían grabadas las iniciales S. O.

Sergio O'Kane, pensó Damián con una sonrisa. Del objeto, elegante en su sencillez, colgaba una etiqueta ovalada muy pequeña con lo que parecía un número de referencia. Quizá, pensó Damián sin atreverse a tocarlo, por la otra cara figurara el precio.

Tras el curioso hallazgo, siguió zigzagueando por el mercadillo, que tenía algo de zoco caro, sin fijarse ya demasiado en lo que le salía al paso. Su cabeza continuaba ocupada por la imagen del pisacorbatas.

—¿Por qué pensó que podría robarlo? —le preguntó Sergio O'Kane.

—Supongo que el despido me había colocado al otro lado de la raya —dijo Damián.

—¿Tenía usted problemas económicos, señor Lobo?

—De momento no. Había pactado una indemnización interesante y contaba aún con dos años de paro, además de algunos ahorros. Pero irse a la calle con cuarenta y tres años era casi como irse a la nada.

—¿Podríamos decir que el robo constituía una forma de venganza contra el sistema?

—Quizá sí. Además, me apetecía hacerle a usted un regalo personal y da la casualidad de que es una de las pocas personas que usa pisacorbatas todavía. Era perfecto, ya que, como le he dicho, llevaba grabadas sus iniciales.

En este punto, Damián suspendió el encuentro imaginario con el showman y volvió a la realidad dispuesto a hacerse de un modo u otro con el pisacorbatas. El modo elegido fue finalmente el hurto, pues cuando regresó al puesto no había nadie cerca del mostrador y las señoras que lo atendían —dos depredadoras mayores, con el pelo cardado— se encontraban de espaldas, discutiendo acerca de la colocación más apropiada de una jarra de cristal tallado con la embocadura de plata. Damián Lobo, a preguntas de Sergio O'Kane, declaró que todo había sucedido de manera muy rápida y muy lenta a la vez.

—Mi mano salió vacía del bolsillo del pantalón y regresó a él con el pisacorbatas dentro, como el movimiento de la lengua de un camaleón para atrapar una mariposa.

Tras el robo, continuó andando con expresión neutra. Si hasta ese instante todo había transcurrido en una dimensión en la que el tiempo había perdido las proporciones acostumbradas, apenas se hubo alejado unos metros, los segundos recuperaron la duración habitual, aunque su ritmo cardiaco sufrió las alteraciones propias de quien acabara de padecer un shock. Arrepentido por el hurto, el remordimiento se vio atenuado sin embargo por una oleada de vanidad. Camina despacio, se dijo a sí mismo, modera el paso, no levantes sospechas.

En esto, su visión periférica le advirtió de un peligro. Volviendo la cabeza ligeramente, descubrió la presencia de un guardia de seguridad que sin duda había presenciado el robo y que ahora le seguía con discreción para abordarle, pensó, cuando se encontraran en una zona poco transitada. No quieren escándalos, se dijo Damián. El tiempo adquirió de nuevo la condición de una burbuja en cuyo interior se hallaba atrapado y en la que los segundos, enormemente dúctiles, convivían no tanto con los escrúpulos morales propios de su carácter, sino con el pánico a ser detenido.

—Imagínese —le dijo a Sergio O'Kane— que me cogieran robando. Pensé en la gente de mi antigua empresa, en mi padre, en mis vecinos, en mi hermana china...

Damián se dirigió a uno de los ascensores, donde calculó que la aglomeración impediría actuar al vigilante, e intentó confundirse entre los demás cuerpos. Pero al poco tenía al guardia junto a él.

—Vamos a hacer esto sin organizar follón —le dijo sonriendo el uniformado—. Limítese a seguirme.

—¿Adónde?

—A las oficinas, no es más que un trámite.

—Yo no he hecho nada —dijo Damián.

—Perfecto, entonces lo liquidaremos enseguida.

El guardia de seguridad se separó del grupo que aguardaba el ascensor comprobando que Damián le seguía dócilmente. Pasaron por delante de una perfumería, de una tienda de regalos, de un establecimiento de comida japonesa y de una boutique de ropa femenina, Damián siempre un poco retrasado respecto al guardia, observando brevemente, como debajo del agua, las escenas que se sucedían al otro lado de los escaparates. En esto, al pasar junto al hueco de unas escaleras, se lanzó impulsivamente hacia abajo ganándole al vigilante, que no había esperado esta reacción, unos segundos decisivos.

Descendió de cuatro en cuatro los escalones y alcanzó un rellano donde había una puerta de hierro que empujó con violencia silenciosa. Detrás había un parquin que había sido convertido también en mercadillo, solo que aquí abundaban los muebles sobre otras antigüedades.

Procurando no llamar la atención del público, logró esconderse detrás de un armario enorme, desde donde vio cómo la puerta de hierro se abría de nuevo para dar paso al vigilante, cuyos movimientos, muy tensos, seguían sometidos a un control marcado sin duda por el protocolo establecido para hacer frente a tales situaciones. El vigilante barrió con la mirada el espacio al tiempo que se comunicaba con alguien a través de un micrófono que colgaba de su hombro. Luego se dirigió hacia su izquierda dejando a su derecha a Lobo, que al dar la vuelta al mueble para salir de la perspectiva del guardia, alcanzó la zona delantera del armario, cuya puerta central abrió para colarse dentro tras comprobar fugazmente que nadie reparaba en su presencia.

2

En medio de la oscuridad, Damián contuvo la respiración para que nada estorbara la escucha de lo que sucedía al otro lado del mueble. Tenía muy pocas esperanzas de que su acción hubiera pasado inadvertida, por lo que esperó fatalmente a que de un momento a otro le conminaran desde afuera a salir del armario. Pero pasó el tiempo, primero los segundos y luego los minutos, sin que se cumplieran sus temores. Poco a poco, su respiración fue recuperando el ritmo normal a la vez que sus ojos, adaptados ya a las tinieblas y gracias a la luz que se filtraba por las junturas de las puertas, empezaban a distinguir las dimensiones de la caverna de madera, que eran considerables. Se trataba, en efecto, por lo que había podido apreciar antes de recluirse, de un armario antiguo, de los de tres puertas, con un gran espejo en la del centro, cuyos tabiques interiores habían sido eliminados. Al carecer también de cajoneras, todo el espacio era diáfano, si se podía emplear este término en medio de aquella oscuridad.

—Lo primero —le dijo Damián a Sergio O'Kane— era sentarse y calcular. Es lo que hacía en la empresa cuando me comunicaban un problema urgente: quedarme quieto. Si actúas enseguida, te equivocas. Las fugas de agua no suelen venir de donde aparece la gotera. El agua, como el ruido, busca siempre el recorrido más sencillo, que no es el más lógico. Que la filtración aparezca aquí no significa que debas picar aquí, el origen puede estar en la otra esquina del edificio.

—¿Qué fue entonces lo primero que calculó? —preguntó O'Kane.

—Que debía poner el móvil en modo de silencio. Aunque apenas recibo llamadas, habría sido catastrófico que sonara en aquellas circunstancias.

—¿Y después?

—Después, aunque los nervios me consumieran, debía permanecer en el armario todo el tiempo que fuera preciso, hasta tener la certidumbre de que habían suspendido la búsqueda. Como una morena en una grieta. Eran las seis de la tarde. Pensé que en el peor de los casos cerrarían el mercadillo a las nueve.

Sin dejar de dirigirse a O'Kane, Damián sacó el móvil del bolsillo de la chaqueta y lo silenció. Luego iluminó la pantalla, cuya luz carecía del alcance necesario para colarse por las junturas, y examinó el entorno. Calculó que el armario, por la perfección de sus ensamblajes (de la variedad conocida como *cola de milano*), podría tener cien años o más. Era muy sólido, de roble, y se apreciaba en su atmósfera una mezcla de olores que intentó destrenzar.

—Por un lado —le dijo a O'Kane—, percibí los efluvios químicos resultantes de los tratamientos que sin duda había recibido para combatir la carcoma. Al acercar la pantalla del móvil a una de las paredes, comprobé que la superficie de la madera tenía pequeños surcos provocados por la larva, aunque ninguno era profundo. El roble, cuando está bien curado, resulta tan impenetrable como el acero. La razón por la que se habían eliminado los tabiques y las cajoneras no podía ser otra que la mala calidad de sus materiales originales, de los que habría dado buena cuenta la polilla.

—¿Y eso? —preguntó el showman.

—Bueno, en aquellas épocas no era raro que se utilizara el roble para el cuerpo principal del mueble y pino del país para los elementos accesorios. Esa variedad de pino es mantequilla.

—¿Y qué otros olores dice que detectó?

—A humedad y a salitre. Era probable que el mueble procediera de algún lugar de la costa, de ahí también los restos de carcoma.

—¿Y a qué más olía?

—A ropa vieja.

—¿A ropa vieja? ¿No sería eso una sugestión?

—Créame, O'Kane, tengo un olfato excepcional. Por ese mueble habían pasado generaciones de trajes y de blusas y de ropa interior, no siempre debidamente limpia. ¿Sabe usted lo de los establos?

—No.

—Pues los establos continúan oliendo a estiércol décadas después de vaciarlos. Lo sabe muy bien la gente que se ha hecho casas en cuadras antiguas.

Sin dejar de mantener este diálogo con el presentador (la entrevista, según comunicó O'Kane dirigiéndose a la cámara, era *trending topic* mundial), Damián consultaba el reloj y hacía cuentas. Llevaba encerrado allí una hora. Era evidente que nadie lo había visto entrar, pero cómo saber si le verían salir.

Esperó otros diez minutos en silencio (una pausa para la publicidad, había dicho O'Kane) y decidió abrir una rendija, con mil precauciones, en una de las puertas laterales. Lo primero que vio fue la gorra de un vigilante. Cerró y volvió a sentarse.

—¿Tuvo miedo, señor Lobo? —le preguntó O'Kane a la vuelta de la publicidad.

—Mucho —respondió Damián—. Se trataba de una situación muy embarazosa. Habría preferido morirme a pasar por la vergüenza de ser descubierto.

—¿Y el pisacorbatas?

—Lo había guardado en el bolsillo derecho de la chaqueta, aquí. De vez en cuando lo sacaba y jugaba con él entre los dedos mientras escuchaba las conversaciones de la gente que pasaba al otro lado, siempre atento a la eventualidad de que a alguien se le ocurriera abrir una de aquellas puertas para curiosear.

—¿Qué habría hecho?

—Desplazarme al extremo opuesto al de esa puerta. Ensayé algunos movimientos por si se diera el caso.

—¿Ocurrió algo?

—La verdad es que sí. Debía de llevar ya un par de horas encerrado, cuando se abrió la puerta del extremo contrario al que me encontraba yo. La luz entró en tromba, como el agua por el boquete de una presa rota, pero se detuvo hacia la mitad del armario, como si tuviera un dique de contención invisible. Enseguida vi aparecer la cabeza de un niño de ocho o diez años, no sé, quizá de doce, no tengo hijos y calculo mal sus edades. Como estaba expuesto a la luz, distinguí enseguida sus facciones. Él, en cambio, solo debió de detectar mi bulto, hecho un ovillo en el otro extremo. Sin duda, el bulto le llamó la atención y concedió a sus ojos las décimas de segundo necesarias para acostumbrarse a la oscuridad. Entonces, cuando noté por su expresión de alarma que percibía mi rostro y mis facciones, me llevé el índice a la boca en señal de silencio. El crío retiró el rostro y enseguida escuché a su madre decirle que dejara de tocarlo todo.

—¿Y?

—Nada, el niño por suerte no dijo nada, pero se dejó la puerta abierta y pasé un minuto o dos de pánico hasta que a alguien se le ocurrió cerrarla de nuevo.

—¿Ha pensado alguna vez en ese niño? —le preguntó O'Kane.

—Muchas veces —dijo Damián—. Me pregunto cómo influiría ese suceso en su vida.

—¿Cómo cree usted?

—No sé, de niños nos ocurren cosas inexplicables que no confesamos nunca a nadie. Luego, al crecer, las olvidamos.

—¿Recuerda usted alguna de esas cosas?

—Sí, en cierta ocasión, debía de tener seis o siete años, abrí la puerta del horno de la cocina de mi casa y descubrí la cabeza de un camello con los ojos abiertos, mirándome.

O'Kane y el público rieron.

—¿Y por qué abrió la puerta de ese horno?

—Bueno, no se usaba porque estaba estropeado y yo había ido escondiendo allí pedazos de turrón y figuritas de mazapán que había hurtado de la despensa de mi madre para tener mis propias provisiones una vez que pasaran las Navidades.

—Ya de pequeño era usted aficionado a los pequeños hurtos —dedujo O'Kane.

—No, es decir... —titubeó Damián—. No había pensado en ello como en un robo, más bien una cosa de críos, ¿no?

—¿Y volvió a abrir la puerta del horno para recuperar los dulces?

—Jamás. Se agusanaron, provocando semanas o meses después un conflicto doméstico, pues nadie se explicaba cómo habían llegado hasta allí ni por qué habían sido abandonados.

3

Se acercaba la hora de cierre del mercadillo cuando Damián, que había decidido esperar a ese momento para intentar la huida, notó que el armario se movía violentamente como si lo estuvieran levantando. Y así era, en efecto. Del exterior, con las primeras sacudidas, empezaron a llegar a su escondite las voces de un grupo de operarios que, desde distintas posiciones, intercambiaban fórmulas para elevar el mueble.

—Espera a que ponga un pedazo de cinta americana en las puertas —dijo uno—, que están sin llaves y nos van a dar en la cara.

—¿Pero por qué no se desarma para hacer el traslado como Dios manda? —preguntó otro.

—Porque tiene más de cien años —respondió un tercero— y si lo desarmas te cargas los ensamblajes. No hay otra que trasportarlo entero.

—Es que pesa como un muerto.

—Porque es de madera maciza, de la de verdad, de la de antes.

Damián escuchó el ruido de la cinta americana al despegarse del rollo y se tumbó en el suelo cuan largo era para repartir su peso de manera uniforme y evitar sospechas de que hubiera algo o alguien dentro. Por fortuna, era muy delgado y de estatura media, de forma, calculó, que sus quilos se confundirían con los del pesado mueble. Desde aquella postura percibió cómo el armario se elevaba, cómo se desplazaba y cómo se descargaba luego sobre lo que supuso que era la caja de un camión. Todo se llevaba a cabo entre las quejas, las advertencias y las órdenes que intercambiaban de manera confusa los obreros.

Tras un lapso de tiempo que atribuyó a las operaciones dedicadas al anclaje del mueble, el camión se puso en marcha. Ese podría haber sido el momento adecuado para abandonar el armario y más tarde, cuando el camión se detuviera en algún semáforo o ralentizara su marcha, saltar y huir. Pero enseguida se dio cuenta de que al menos dos de los operarios viajaban en la caja, bien porque no cabían todos en la cabina, bien para asegurarse de que el mueble, pese al anclaje, no se desplazara.

—Iban hablando de ansiolíticos —le dijo Damián a O'Kane.

—¿De ansiolíticos? ¿Seguro?

El público asistente rio. Hubo también un conato de aplauso que sofocó el propio O'Kane con un gesto de sus manos, para que la entrevista no perdiera ritmo. El entrevistado aseguró entonces que tenía que pegar alternativamente la oreja a una pared del armario y enseguida a la de enfrente para escuchar las dos partes de la conversación, pues cada operario se encontraba a un lado del mueble. La imagen volvió a hacer reír al público.

Dado que la aventura real de Damián y su presencia en el show imaginario sucedían de forma simultánea, tenía que moverse a una velocidad de vértigo entre una instancia y otra, dificultad a la que se añadían las vibraciones del vehículo y los ruidos del tráfico, pues aunque la caja del camión parecía estar cerrada, parte del estruendo exterior se colaba a través de sus tabiques.

—La cubierta del camión debía de ser de lona —aclaró a O'Kane— porque el viento hacía ese ruido que escuchamos cuando se mueve un toldo.

—¿Pero qué decían los obreros de los ansiolíticos?

—Uno de ellos aseguró que desde que tomaba ansiolíticos el mundo seguía en él, aunque él ya no seguía en el mundo. El otro le contestó que si él hubiera logrado salir del mundo no volvería a él y menos para dedicarse a las mudanzas.

Hubo un silencio que O'Kane, un maestro del ritmo, dejó que se prolongara unos instantes para inyectar tensión a la entrevista. Finalmente, preguntó:

—¿Sucedió algo más?

—Bueno —añadió un Damián Lobo renuente—, uno de ellos contó un chiste sobre las cuerdas vocales.

O'Kane se había operado hacía poco de unos pólipos sin importancia en esas cuerdas, de modo que mostró interés en que Damián contara el chiste.

—Es que es de mal gusto —se resistió.

La información, lejos de desanimar al presentador y a los invitados, excitó su curiosidad.

—Ahora —dijo Damián— me arrepiento de haberlo dicho. De verdad, no es un chiste adecuado para la televisión.

—Venga, no se haga tanto de rogar —insistió O'Kane apoyado por los aplausos del público.

—Bien, un hombre le dice al médico que tiene problemas con las cuerdas fecales. Querrá decir vocales, le dice el médico. No, no, responde el hombre, al baño voy con regularidad, pero cada vez que hablo me sale una cagada.

Sergio O'Kane soltó una carcajada coreada por los aplausos y las risas del público. En ese momento entró bruscamente un corte de publicidad que Damián aprovechó para concentrarse en el mundo real, donde las cosas no habían mejorado. El camión llevaba media hora en marcha. Tras abandonar los alrededores del centro comercial, había circulado un buen rato por lo que parecía una autopista, posiblemente una de las carreteras de circunvalación de la ciudad. Luego había entrado en una zona de mucho tránsito y al poco había vuelto a lo que parecía una carretera. Damián temió que el viaje se prolongara indefinidamente, pues tenía ganas desde hacía rato de fumar y de orinar.

Hizo cálculos: había entrado en el centro comercial sobre las seis de la tarde y ahora, en su Casio con linterna, eran las nueve menos cuarto. Llevaba casi tres horas atrapado en aquella situación absurda para la que imaginaba soluciones alternativamente sombrías y felices.

—¿Y no se le pasó por la cabeza la idea de desprenderse del pisacorbatas, que era el cuerpo del delito? —le preguntó O'Kane a la vuelta de la publicidad.

—Muchas veces —respondió Damián—, pero era un regalo para usted. Además, había transferido al objeto ciertas propiedades mágicas. Pensaba que mientras estuviera en mi poder no podría ocurrirme nada malo.

—Pero ya le estaba ocurriendo algo malo —objetó O'Kane.

—Quería decir que no me sucedería algo peor.

En ese instante el camión se detuvo. Por los movimientos y las voces de fuera, concluyó que habían llegado a su destino, de modo que suspendió la entrevista con el presentador para poner toda su atención en las posibilidades que se le ofrecían de huir. Escuchó el ruido de las puertas del vehículo al abrirse y cerrarse, los pasos de los hombres sobre el suelo metálico de la caja y de nuevo sus voces tratando de ponerse de acuerdo sobre el lugar en el que debía colocarse cada uno para proceder a la descarga del mueble.

—Tuve que tumbarme otra vez sobre el suelo —dijo a O'Kane regresando al plató— al objeto de repartir mi peso por igual.

—¿Fue muy brusco el descenso? —preguntó O'Kane.

—Afortunadamente, no, porque apareció una nueva voz, en este caso femenina, que conminó a los obreros a que llevaran cuidado para no dañar el mueble. Deduje que era su nueva propietaria y que nos encontrábamos frente a su domicilio.

—¿Va a decirme que acabó dentro de una casa particular?

—Todavía no. Las dimensiones del mueble obligaron a quitar el marco de la puerta de entrada a la vivienda, un chalé de las afueras, según pude apreciar, aunque ya era de noche, a través de una rendija. También fue preciso desmontar las patas del armario y una moldura ornamental que remataba su parte superior.

—¿Y en todo ese tiempo no tuvo ninguna oportunidad de huir?

—Ninguna, siempre había gente alrededor y las puertas seguían sujetas con cinta americana. Temía que hiciera mucho ruido al despegarse de la madera. Mientras trabajaban, uno de los operarios preguntó a la mujer por qué había adquirido aquella antigualla para una casa tan moderna, a la que además le sobrarían los armarios empotrados. La mujer dijo que ese mueble había formado parte del mobiliario de la casa de sus abuelos, donde ella había pasado su infancia. Lo había reconocido gracias a una particularidad del lateral derecho que mostró al operario y que, según averigüé enseguida, se trataba de esas marcas que se hacen para seguir el crecimiento de los niños.

—Mire —indicó la mujer al hombre—, aquí pone Lucía, que soy yo, y estas rayitas indican mis diferentes estaturas desde los cinco a los diez años, en los que viví con mis abuelos.

—¿Y estas otras? ¿Qué pone, Jorge?

—Jorge, sí, eran las de mi hermano. Teníamos la misma edad porque éramos mellizos, pero murió a los dos años de que nos enviaran con mis abuelos. De tétanos. Por eso están interrumpidas tan pronto.

—Vaya.

—Cuando descubrí el armario en el mercadillo, no me lo podía creer, pensé que me daba un ataque. A saber las vueltas que habría dado el pobre hasta llegar allí.

—Las mismas que da la vida —respondió el operario.

4

No sin dificultades ni imprecaciones de todo tipo, el armario acabó entrando en la vivienda, donde los obreros sufrieron de nuevo lo indecible para conducirlo a la habitación que la mujer les señaló. Una vez en su sitio, una parte de ellos, según pudo deducir Damián, recolocó el marco de la puerta de esta habitación, que también había sido preciso desmontar, así como las patas del mueble y su moldura, mientras los otros trabajaban en los desperfectos de la puerta de entrada. Luego lo encajaron en la pared que la mujer les indicó y las voces se alejaron.

—En ese instante —le dijo Damián a O'Kane— empujé con mil precauciones una de las puertas y el pedazo de cinta americana, que apenas medía un palmo, se despegó sin problemas. Al comprobar que no había nadie, salí un poco mareado, dando traspiés, como cuando bajas de una atracción de feria.

—¿Dónde estaba todo el mundo? —preguntó el showman.

—En la puerta de la entrada, con la mujer, que les había ofrecido unas cervezas y quizá algo de dinero por el esfuerzo.

—Bien, supongo que usted, para situarse, miraría a su alrededor. Dígame qué vio.

—Me encontraba en el dormitorio principal de la casa, el de matrimonio, que era grande y tenía un cuarto de baño incorporado al que me dirigí instintivamente para aliviar la vejiga. Ya no podía más. En lugar de orinar en la taza del retrete, lo que me obligaría a tirar de la cadena y a hacer un ruido que habría llamado la atención, elegí el lavabo y luego abrí un poco el grifo, para eliminar los restos. Tomaba las decisiones así, deprisa y corriendo. Mi cabeza jamás había funcionado a tal velocidad, ni en las situaciones laborales más comprometidas, que fueron muchas a lo largo de veinticinco años de trabajo.

El público prorrumpió en risas y aplausos bajo la expresión divertida de O'Kane y el gesto de perplejidad de Damián.

—Supongo que la rapidez era vital en tales circunstancias —apuntó O'Kane cuando el público se calmó.

—Imagínese. Lo curioso es que en las situaciones límite uno no deja en ningún momento de pensar.

—¿Y qué pensaba?

—En las posibles excusas frente a la contingencia de ser sorprendido. Diría que visitando el mercadillo me había sentido mal y que no sabiendo dónde meterme, cuando ya estaba al borde del desmayo, encontré el mueble, me introduje en él y me quedé dormido. A esas alturas, suponía yo, nadie vincularía la desaparición del pisacorbatas con mi presencia en aquella casa. Seguramente ni siquiera habrían denunciado el robo. Tampoco era tan valioso, ¿no? Lo más que podría ocurrir era que avisaran a la policía, a la que daría la misma excusa. Eso era lo que hacía mientras orinaba: ensayar, palabra por palabra, mi coartada frente a la mujer y, si fuera necesario, frente a la policía.

—Pero no fue preciso.

—No, porque cuando terminé de orinar la mujer continuaba enredada con los operarios en la zona del *hall*. Eso quería decir que tampoco podía avanzar hacia la salida de la casa sin ser descubierto. De hecho me asomé al pasillo y vi que todas mis posibilidades en dirección a la calle estaban cegadas. Solo podía adentrarme más en la vivienda, lo que me pareció poco conveniente.

Así era. Tras unos instantes de duda, y como escuchara que la mujer se dirigiera al dormitorio tras haber despedido a los operarios, volvió a esconderse, esta vez debajo de la cama, pues suponía que abriría el armario para solazarse en su inmensidad.

En efecto, la mujer arrancó la cinta americana, abrió las tres puertas, para que el interior del mueble se ventilara, e introdujo la cabeza en él con una inspiración profunda como quien se asoma al abismo.

—A continuación —contó Lobo a O'Kane— comenzó a colgar de la barra los trajes que había encima de la cama.

—Y usted allí, observándola, precisamente desde debajo de esa misma cama.

—Sí, veía sus pies descalzos, pues se había quitado los zapatos, y parte de sus piernas, llevaba una falda de mucho vuelo. Mientras iba y venía canturreaba alegremente. Le voy a decir una cosa que quizá le sorprenda.

—Dígame.

—Después de las horas que había pasado en el armario, y por comparación, el hueco de debajo de la cama me pareció comodísimo.

El público rio y aplaudió con entusiasmo frente a un Damián Lobo imperturbable. O'Kane hizo a la cámara un gesto entre la complicidad y la ironía.

—¿Comodísimo? —repitió de forma interrogativa.

—Sí, en serio, solo habría necesitado encender un cigarrillo para que mi felicidad fuera completa. El suelo era de una moqueta muy espesa, por lo que no resultaba frío en absoluto. El somier, de lamas de madera, no se hallaba tan cerca de mi cuerpo que me resultara agobiante ni tan lejos que el hueco, por alto, quedara muy a la vista. Además, estaba tapado en parte por las faldas de la colcha. Nadie se asoma a un hueco de ese tipo, de no ser un maniático. O para pasar la aspiradora, claro.

—¿Es usted —preguntó O'Kane— esa clase de maniático que mira debajo de la cama antes de acostarse?

—Bueno, sí —aceptó Damián esbozando una sonrisa—. Pero creo que soy la excepción. La gente acostumbra a dormirse con ese vacío metafísico debajo de su cuerpo.

Sergio O'Kane se volvió hacia el público, cuyo bullicio tenía que contener de vez en cuando para no interrumpir continuamente la entrevista, y pidió que levantaran la mano aquellos de los presentes que miraban debajo de la cama antes de acostarse. La levantó algo menos de un tercio del público. Algunos se quedaban a medias, como si les diera vergüenza confesarlo, o como si dudaran entre decir la verdad o perder la oportunidad de que la cámara los enfocara.

—Entonces —continuó O'Kane—, usted se encontraba justo dentro de ese hueco..., ¿cómo lo ha llamado?, ¿metafísico?

—Es un modo de señalar su complejidad. Mi padre lo empleaba mucho. Según él, el terror de las películas de Hitchcock era de ese orden.

—... dentro de ese hueco que usted, en su casa, revisaba cada noche...

—Resulta curioso, ¿no? Como el que se cae al abismo al que se asoma.

En ese momento entró alguien en la vivienda gritando un «HOLA» que llegó hasta el dormitorio. Damián Lobo abandonó el plató y puso todos sus sentidos en estado de alerta. La mujer gritó a su vez:

—Ven, Fede, corre, que tengo una sorpresa.

Casi enseguida entró en la habitación un hombre.

—Mira —le dijo la mujer—, ha llegado por fin el armario de mis abuelos.

El hombre se adentró en la habitación, dio un beso a la que sin duda era su esposa y fingió un entusiasmo matizado a continuación por los inconvenientes que fue enumerando a medida que la conversación progresaba. El primero de ellos se refería a que habían colocado el mueble tapando, e inutilizando por tanto, el armario empotrado del dormitorio. La mujer alegó que no había otro sitio y que eso ya lo habían discutido con anterioridad.

—Es que queda ahí detrás un hueco absurdo —protestó él—, una especie de cárcel del pueblo.

—Pero si lo que nos sobra en esta casa es espacio —dijo ella.

El hombre se quejó también de la ausencia de cajoneras en el armario de madera.

—¿Dónde colocaremos la ropa interior? —preguntó.

Ella dijo que también eso lo habían discutido y que ya lo había colocado todo en el armario empotrado del cuarto de invitados. Damián advirtió que el diálogo se iba tensando de manera sutil, pese a los esfuerzos de la mujer, llamada Lucía. En un momento dado, se quejó de que le estaba quitando la ilusión.

—¿Es que no lo comprendes? —añadió—, mi hermano y yo nos escondíamos en este armario de pequeños, era nuestro refugio. Es... es el único recuerdo que me queda de él.

—Un recuerdo un poco siniestro —dijo el hombre llamado Fede.

En esto, se manifestó en el dormitorio una tercera presencia, la de una adolescente, calculó Damián, hija del matrimonio, que o bien venía de la calle o bien había permanecido en una de las habitaciones mientras se llevaban a cabo las operaciones anteriores. La joven articuló una expresión de asombro al ver el mueble.

—¡Es de película! —dijo.

—De película de terror —añadió su padre.

—¡Aquí todo el mundo puede tener sus caprichos menos yo! —exclamó, enfadada, la mujer.

—El marido —explicó Damián a O'Kane— debió de comprender que había llegado al límite y comenzó a dar marcha atrás en sus ironías.

—¿Y la hija? —preguntó O'Kane.

—Las manifestaciones de la hija no eran irónicas. Me pareció que se colocaba sutilmente del lado de la madre, aunque tratando de no enfrentarse directamente al padre.

—¿Qué ocurrió luego?

—Desaparecieron los tres, era ya la hora de la cena.

—¿Y entonces qué hizo usted? —preguntó O'Kane.

—Me quedé allí, completamente solo, debajo de la cama.

5

Esa noche, ya en la cama, el marido llevó a cabo un par de maniobras de aproximación que la mujer, afligida quizá por las burlas anteriores, rechazó con energía. El hombre se dio la vuelta y encendió la radio que había sobre la mesilla de noche, de cuyo altavoz comenzó a salir, como el agua de un grifo, un caudal exagerado de programa deportivo. Ella le pidió de mala gana que la apagara y él obedeció, cesando de inmediato el estruendo.

Entretanto, Damián pensaba intensamente en la mujer que dormía o intentaba dormir a apenas un palmo de él. Aunque no conocía su rostro, permanecía cautivo de su voz, algo turbia, como si estuviera envuelta en una gasa. Cerró los ojos y le vinieron a la memoria sus pies desnudos, cuyos dedos le habían parecido un poco largos, pero tan bien formados que no habrían llamado la atención en una mano pequeña. Intentó imaginar cómo se había metido entre las sábanas, si con un pijama o con una camiseta, tal vez desnuda. Nunca había gozado de un grado de intimidad tan grande con una mujer que no fuera china (eso esperaba), lo que le excitaba sobremanera. Dudó si hablarle de esto a Sergio O'Kane y mientras lo decidía se llevó las manos a los pantalones, se los desabrochó y comenzó a acariciarse. Casi no se dio cuenta de que se estaba masturbando hasta el arrebato final, pues lo hizo todo con los movimientos fantasmales con los que se habría aliviado un cadáver.

Luego se quedó triste. Se imaginó en el programa de O'Kane, narrando aquella situación un poco sórdida delante del público asistente y de los millones de telespectadores que veían el show desde sus casas. La gente se reiría mucho, esas cosas funcionaban en la tele, sería un éxito de audiencia. ¿Pero y la dignidad?, se preguntó. ¿Valía la pena sacrificar la dignidad en aras de la audiencia? Se respondió que sí. Después de todo, el show de O'Kane sucedía en un mundo que carecía de puentes de comunicación con este. En cualquier caso, decidió que reservaría la historia para uno de esos momentos en los que los telespectadores, sin que se sepa muy bien por qué, deciden cambiar de canal. No obstante, quizá por la fragilidad consecuente a la eyaculación, al regresar al plató imaginario confesó a O'Kane que nunca había estado con ninguna mujer occidental. Con ninguna mujer en realidad, aparte de su hermana china.

Se produjo un silencio de respeto entre el público. También el entrevistador de ojos amarillos calló durante unos instantes. Luego preguntó:

—¿Prefiere que no hurguemos en ello?

—Sí —dijo Damián—, lo prefiero.

—Entiendo de todos modos que ha llevado usted una vida solitaria.

—Bastante. A mi hermana, desde que me fui de casa, hace ya muchos años, la he visto en contadas ocasiones, aunque no ha dejado de formar parte de mis fantasías sexuales. Por otro lado, mi trabajo facilitaba el aislamiento al que ya era dado por carácter. Mi puesto se encontraba en el sótano del edificio de la empresa. Allí, entre estanterías de hierro colmadas de viejos archivadores a punto de reventar por expedientes que nadie consultaba, había un cuartucho reconvertido en taller que compartía con el que durante algún tiempo fue mi jefe, un hombre mayor, muy hábil con las manos, pero recluido dentro de sí mismo como en una celda. El edificio era antiguo, viejo, y durante horas no se escuchaba otro ruido que el de las cañerías y desagües. Yo hablaba mentalmente con los ruidos. Imaginaba que me decían cosas, tonterías, nada profundo, y yo les contestaba también banalidades. De vez en cuando sonaba el teléfono y teníamos que subir a uno de los despachos del edificio para reparar algo: un cajón que no cerraba bien, un tubo fluorescente que parpadeaba, una puerta que se había salido del quicio, una cerradura descompuesta... Desatascábamos los retretes, revisábamos el ascensor, purgábamos los radiadores, despejábamos los viejos conductos del aire acondicionado... Le hablo de los años anteriores al estallido de la obsolescencia programada. ¿Sabe a qué me refiero?

—Sí —respondió O'Kane—, he visto el documental.

—Ni mis habilidades manuales ni mi capacitación técnica son útiles en un mundo en el que la mayoría de las cosas, en vez de repararse, se sustituyen. Cuando murió mi jefe, que no duró mucho, me quedé yo solo en aquel sótano, hablando con los ruidos, dando de comer a los ratones, que los había a cientos, y navegando por internet, ya sabe usted en busca de qué. Siempre había algo que reparar, desde luego, pero con los nuevos tiempos el servicio de mantenimiento se externalizó. Contrataron una empresa que dirigía un sobrino del director general y con la que yo, al principio, hacía de intermediario. Es ahí cuando di instrucciones a los ingenieros jóvenes. Luego, poco a poco, en parte porque las cosas vinieron así y en parte porque yo me fui retrayendo, los distintos departamentos prescindieron de mi intermediación, y mi trabajo se redujo a hacer pequeñas chapuzas, cada vez de menor entidad y más distantes entre sí. Pasé los dos últimos años en el sótano, yo solo, sin otra compañía que la del ordenador, al que llegué a conocer mejor que a mi propia cabeza. Cuando creí que se habían olvidado de mí y que podría continuar así eternamente, me llegó la carta de despido.

—Está usted siendo extremadamente sincero —apuntó O'Kane.

—Es por el desánimo —respondió Damián—. El desánimo conduce a la sinceridad.

—Y dígame, ¿tardó mucho en dormirse el matrimonio debajo de cuya cama se encontraba usted?

—No, no sé, lo normal. Él roncaba un poco. La respiración de ella era suave, pero si prestabas mucha atención advertías que gozaba del sosiego característico del sueño.

En esto, Damián notó una ligera vibración en el bolsillo donde guardaba el móvil. Acababa de entrar un mensaje que abrió haciendo pantalla con la mano, para evitar que la luminosidad desbordara los límites de su guarida. Era del banco. Le decían que había entrado a formar parte de un concurso en el que se sorteaba una tableta Samsung y que para saber si había ganado tenía que entrar en la página web de la entidad. Cuando, de vuelta en el plató, contó lo que le acababa de ocurrir, el público rio y aplaudió.

—En ese instante —añadió Damián—, sí que parecía de verdad una morena escondida en una grieta de las profundidades marinas.

—¿Y no pensó en escapar ahora que la familia dormía? —preguntó O'Kane.

—No, aunque tampoco pensé en quedarme. Ni siquiera sabía que me estaba quedando. Simplemente dejé que el tiempo transcurriera mientras daba vueltas entre los dedos al pisacorbatas.

—¡El pisacorbatas! —recordó O'Kane—, ahí empezó todo y todavía no nos lo ha enseñado.

Damián alargó el brazo para entregárselo al presentador, pero el pisacorbatas continuó en su mano, lo que venía a demostrarle de nuevo las dificultades de comunicación entre las dos realidades en las que actuaba. O'Kane recibió una versión imaginaria del objeto y lo mostró a una de las cámaras, para que la audiencia apreciara el grabado con sus iniciales, S. O. El público aplaudió. Luego, Sergio O'Kane se volvió a Damián Lobo:

—¿Y después? —le preguntó.

—Caí en una suerte de sueño sobresaltado, o de vigilia sosegada, como usted prefiera, con todos mis sentidos, de forma simultánea, en estado de alerta y de reposo. Como supongo que se duerme en las trincheras.

6

A las seis cuarenta y cinco de la mañana el aparato de radio de la mesilla de noche se encendió de forma automática. Estaban dando las noticias locales. Un camión con una carga de cerdos vivos había volcado en la M-40, a la altura de la salida de la carretera de Valencia, provocando la muerte de decenas de animales cuyos cadáveres yacían sobre el asfalto; los supervivientes corrían desorientados por la carretera y sus alrededores. Se aconsejaba a los automovilistas que tomaran vías alternativas. El somier de lamas tembló y crujió debido a la actividad de los cuerpos del matrimonio, que se desentumecían sobre el colchón antes de entregarse a la vigilia. Se encendió una luz, pues todavía era de noche, y Damián se aprestó a espiar los movimientos apreciables a través de la ranura desde la que se asomaba a la vida de los otros.

Hubo un ir y venir profuso de pies, primero por los alrededores de la cama; luego, entre la habitación y el cuarto de baño. Los desplazamientos parecían el resultado de unas prácticas fuertemente asentadas. Así, la ducha sonó con método; la cisterna del retrete se vació y volvió a llenarse con disciplina; la maquinilla de afeitar rumoreó con discreción; el secador del pelo bramó con ansiedad eléctrica... Hasta donde se encontraba Damián llegaron asimismo las débiles corrientes de aire producidas por las anchas puertas del viejo armario al abrirse y cerrarse.

—Más que escuchar la realidad —le dijo a O'Kane en una fugaz escapada a su programa—, la auscultaba, atento a cualquier contingencia indicativa de peligro.

—¿Hubo alguna?

—Bueno, sí. En un momento dado, la mujer, Lucía, le preguntó al marido si había vuelto a fumar. ¿Por qué?, dijo él. No sé, dijo ella, me parece que huele un poco a tabaco. Me preocupa que María fume a escondidas.

—El olor procedía de usted —señaló O'Kane.

—De mi ropa. Ya sabe usted cómo absorben los tejidos el humo. Por suerte, las sospechas recayeron en la niña, de la que averigüé de paso que se llamaba María. Lucía, María y Fede, de Federico, supongo. Nada de extravagancias, una familia normal.

Los cónyuges abandonaron varias veces el

dormitorio y regresaron a él tras pasar, supuso Damián, por la habitación de invitados para recoger la ropa interior que no les había sido posible guardar en el nuevo armario debido a la ausencia de cajoneras. En medio de aquellos breves viajes, el hombre o la mujer, de forma alternativa, golpeaban la puerta de la habitación de la hija conminándola a gritos a que se espabilara. A veces se sentaban en el borde de la cama, cada uno en el suyo, exponiendo sus talones a la mirada de Damián, que continuó de este modo intimando con los pies de la mujer. Por la coordinación de movimientos, intuyó que los tres miembros de la familia abandonaban la casa juntos, cada uno en dirección a sus quehaceres.

El tráfico de cuerpos se desplazó luego a otra zona (la cocina, evidentemente), desde donde empezaron a llegar ruidos de tazas y cubiertos mezclados con palabras que se descomponían a medida que avanzaban por el pasillo, alcanzando los tímpanos de Damián, más que como sonidos articulados, como las virutas de una conversación discontinua, de contenido práctico.

Al rato regresó la mujer, que se había puesto unos zapatos negros, de tacón, con el escote en forma de pico. Enseguida entró el hombre también, con zapatos marrones y pantalones claros, de raya. Ella le pidió que cerrara la ventana, abierta poco antes por uno de los dos para que se ventilara el dormitorio.

—Y procura recordar —añadió— que estamos sin asistenta, así que no lo dejes todo por ahí, como siempre.

Entre lo que no debía dejar «por ahí» se encontraban un par de calcetines y unos calzoncillos abandonados en el suelo, justo en la frontera que separaba su escondite del espacio exterior. Damián, alertado por el movimiento de una sombra, contuvo el aliento antes de que apareciera en su campo de visión la mano del hombre, que recogió las prendas sucias y desapareció con ellas.

Luego, los pasos formados por los tres pares de pies se concentraron en un punto del pasillo y enseguida se oyó el ruido de una puerta (la que comunicaba el garaje con la vivienda, pensó Damián) al abrirse y cerrarse. Se había quedado solo ya. No obstante, y como todas las cautelas le parecían pocas, decidió permanecer aún media hora debajo de la cama, por si regresaran a por algo olvidado.

Aunque no había oído los pitidos de cortesía que emiten las alarmas domésticas tras ser conectadas, para indicar al usuario el tiempo de que dispone para salir de su radio de acción, prefirió contar con la posibilidad de que la hubiera, de modo que, sacando apenas la cabeza, observó los cuatro o cinco puntos estratégicos del dormitorio sin detectar la existencia de cámara alguna. Luego abandonó el hueco de debajo de la cama despacio y se incorporó con lentitud, atento a la posibilidad de que se disparara algún detector de presencia. No había ninguno.

—¿Y no tenía usted el cuerpo entumecido? —le preguntó O'Kane.

—Un poco, sí. Pero no me di cuenta de inmediato. El cuerpo, en situaciones de tanta tensión, desaparece.

—Y bien, ¿qué hizo?

—Lo primero, pasar al baño, para dar satisfacción a mis necesidades. Luego abandoné el dormitorio, salí al pasillo y me cercioré de que no había, en efecto, alarma de ninguna clase en el resto de la vivienda. Advertí enseguida que se trataba de un chalé de una sola planta, de tres habitaciones, con una distribución convencional. Al fondo de la casa se encontraban la cocina y el salón, comunicados por un vano en el que había una barra. Allí nacía (o moría) un pasillo en uno de cuyos lados se encontraban la habitación de la niña y un baño completo; en el otro, la habitación de matrimonio, con su propio cuarto de baño, y la de invitados. El pasillo moría, o nacía, según se mirara, en un recibidor de la entrada principal de la vivienda y en el que había un gran armario empotrado y un aseo. La casa disponía de un pequeño jardín delantero, junto a la rampa del garaje, y de otro más extenso, en la parte de atrás, al que se accedía a través de dos puertas, una de ellas situada en el salón y la otra en la cocina. Los jardines se comunicaban entre sí por dos pasillos de césped situados en los laterales de la vivienda. Aunque me asomé a las ventanas con precaución, por miedo a que me viera algún vecino, no logré averiguar en qué zona de Madrid me encontraba.

—Pero en las afueras, evidentemente —apuntó O'Kane.

—Sí. La casa estaba rodeada de otros chalés idénticos. Una urbanización del extrarradio como hay tantas.

—Había llegado el momento de escapar.

—Objetivamente, sí. En lugar de eso, me dirigí a la cocina, porque tenía hambre, recuerde que el día anterior no había cenado. Calenté un vaso de leche en el microondas y mojé en él unas magdalenas. Mientras desayunaba, hacía estiramientos, pues la noche pasada debajo de la cama, ahora que empezaba a estar más tranquilo, comenzó a pasarme factura.

—De acuerdo, hizo estiramientos. ¿Y después?

—Bueno, decidí no fumarme el primer cigarrillo de la mañana. Ni el segundo. En realidad, cogí el paquete que llevaba en la chaqueta, lo vacié, arrojé su contenido al retrete y tiré de la cadena varias veces, hasta que no quedó flotando un solo filtro ni una sola brizna de tabaco. El paquete lo quemé en la pila de la cocina, dejando que las cenizas se colaran por el sumidero. Ya ve usted, acababa de dejar de fumar.

—Sin acupuntura ni parches de nicotina —ironizó O'Kane para regocijo del público.

—El caso es que la pila estaba llena de los cacharros sucios de la cena y de las tazas del desayuno —continuó Damián—, así que me quité la chaqueta, me remangué la camisa y me puse a fregar.

El público presente en el plató rompió a reír y O'Kane lanzó a la cámara una de esas miradas de complicidad con el telespectador que tanto éxito le habían proporcionado a lo largo de su carrera. En los primeros planos, sus ojos amarillos producían una fascinación inquietante que él acentuaba levantando alternativamente una y otra ceja.

—De modo que se puso a fregar los cacharros —subrayó con malicia.

—Sí, había un lavavajillas, pero siempre me ha gustado fregar. Tiene algo de actividad zen. Mientras friegas, los pensamientos van de acá para allá, sin intención aparente. Pero luego te das cuenta de que han estado tejiendo algo, aunque no distingas qué. A veces me ha ocurrido que, observando el fondo brillante de una taza recién enjuagada, me he quedado en blanco, limpio, vacío por completo, como la taza que sostengo entre las manos. En esos instantes, ¿cómo le diría?, se tiene una percepción fugaz de lo que significa formar parte de un todo.

—¿Tiene usted intereses religiosos?

—No exactamente religiosos, no en el sentido común del término al menos. A propósito de la taza, recuerdo un documental de la televisión en el que se hablaba del cuenco japonés.

—¿El bol típico para el arroz?

—Sí, ese. En su sencillez, aunque no lo parezca se esconde una complejidad tremenda, como si cada cuenco contuviera el universo.

—¿Y dice que sintió una especie de éxtasis mientras fregaba?

—No, pero me invadió un sentimiento de paz conmigo mismo del que no gozaba desde que me echaran de la empresa. El despido me había trastornado hasta el punto de llevarme a cometer el robo del pisacorbatas, un acto, créame, impensable en una persona como yo. Me di cuenta de que lo había sustraído porque estaba fuera de mí, porque tenía miedo al cambio de vida que aquello suponía, miedo al futuro también. El miedo es uno de los sentimientos más devastadores, nos convierte realmente en alimañas. Y yo había tenido miedo. El miedo era el causante del robo y de todo lo que sucedió luego en una extraña concatenación de hechos. Pero, ya ve, estaba fregando una de las tazas del desayuno de aquella familia, supuse, por las manchas de cacao del fondo, que la de la hija, cuando de golpe me sentí en paz conmigo mismo. Y la paz, lo crea o no, venía de la taza, de su fondo cóncavo. La taza estaba en paz y me contagiaba esa paz en la que ya no quedaba sitio para el miedo.

El público imaginario presente en el plató permanecía ahora en silencio, con la respiración contenida, absorto en las palabras de Damián Lobo. A Sergio O'Kane le comunicaron desde el control, a través del pinganillo, que la audiencia se estaba multiplicando. Sigue por ahí, le indicó el realizador del programa.

—Está usted describiendo una experiencia mística —dijo.

—¿Una experiencia mística? —se preguntó Damián con tono de quitarle importancia—. No, eso sería exagerado. Dejémoslo en que el miedo, simplemente, se había ido. Y no hay libertad más grande que la que proporciona esa ausencia, la del miedo.

—¿Y en qué se tradujo?

—Bueno, tras recoger la cocina, di una vuelta por la casa. En el salón había fotografías familiares, de modo que pude ver sus caras, y la mujer, en efecto, no era china. La niña tampoco. Ni china ni adoptada, porque en uno de los cajones encontré el libro de familia, donde no descubrí nada anormal. Pero lo curioso es que, sin ser chinas ni la una ni la otra, sus rostros me resultaban agradables, especialmente el de la madre. Era la primera vez que sentía una conexión de ese tipo con una mujer occidental.

—¿Quiere decir que le gustaba?

—No sé si la palabra es *gustar*, quizá sí. Me pareció que había algo en ella que podía liberarme de la fijación asiática. He leído en internet artículos sobre las fijaciones sexuales. Hay gente que viene al mundo con una y se va del mundo con ella. Estoy hablando de fijaciones muy enfermizas, claro.

—Como la que tenía usted con su hermana china.

—Exacto.

—¿Qué más sacó en claro de aquellas fotografías?

—Bueno, se trataba de una familia joven, digamos que el matrimonio tenía en torno a cuarenta años y la niña, tal como había calculado, catorce o quince. Los muebles eran nuevos, de Ikea, de lo que deduje que no llevaban mucho tiempo en esa casa, quizá un año o poco más. Una de las fotografías de la mujer estaba sacada desde un punto de vista tal que sus ojos me seguían allá donde fuera. Conocerá usted ese efecto.

—Claro —respondió O'Kane.

—Pues no dejaba de mirarme, tanto si me colocaba a la derecha de la foto como si me colocaba a su izquierda; tanto si me agachaba como si me subía en una silla. Me escondía detrás de la puerta, por ejemplo, y me asomaba despacio, para intentar sorprenderla pero, antes de que me asomara, sus ojos ya estaban esperándome. Ahora bien, su expresión no era de vigilancia, sino de súplica, como si solicitara mi ayuda.

—¿Y cómo era su rostro?

—Era como su voz.

Se produjo un silencio, pues Damián Lobo había dado por concluida la respuesta mientras que Sergio O'Kane esperaba que la desarrollara. Finalmente volvió a intervenir O'Kane:

—¿Y cómo era esa voz?

—Un poco velada, creo, como si viniera envuelta en una gasa.

—¿Y ella? ¿Cómo era ella?

—Pues era así también, como una mujer que surge de la niebla, o de una enfermedad grave, una convaleciente con mirada de asombro y la boca entreabierta, como si no le bastara con el aire que le entraba por la nariz. Tanto los ojos como la nariz y la boca eran pequeños, muy pequeños, diría yo. Insuficientes o infantiles, aunque no por ello mezquinos. Las orejas no se las vi, porque se ocultaban detrás de una melena que le llegaba hasta el cuello.

—¿Le pareció hermosa?

—No del modo habitual.

—¿Y él?

—Él tenía ese atractivo de los jugadores de tenis. No digo que jugara al tenis, no lo sé, pero se apreciaba en su cuerpo y en su rostro esa soltura de quien está acostumbrado a ir de un lado a otro de la pista en busca de la pelota. Un atractivo, digamos, convencional, estándar, ya me entiende, ancha mandíbula, boca grande y ojos muy separados en un rostro chato, sin relieves.

—Se expresa usted muy bien —señaló O'Kane.

—Gracias, Sergio. La niña, muy delgada, me pareció menuda para su edad, se parecía a la madre.

—Y bien, ¿qué más hizo tras mirar las fotografías familiares?

—Arreglé la puerta de uno de los armarios de la cocina que, pese a ser nuevo, estaba un poco descolgada porque se había desajustado una bisagra.

—Las bisagras de esos armarios son el diablo.

—Si no las entiendes, sí, como todo. Se llaman de cazoleta. En YouTube hay muchos vídeos que muestran cómo montarlas. Solo había que ajustar un par de tornillos. Lo hice con un cuchillo de punta de la cocina porque ya sabe que esos tornillos son de estrella.

El público reía intermitentemente con estas precisiones y O'Kane parecía cómodo, como si le estuvieran transmitiendo buenas noticias a través del pinganillo.

—Bueno —intervino ahora—, entonces fregó los cacharros, arregló la puerta del armario de la cocina...

—Arreglé las camas también, la de la niña y la del matrimonio, pues ellos se habían limitado a estirar las sábanas y las mantas de cualquier forma, echando, para disimular, la colcha por encima. En la habitación de la niña permanecí unos minutos y apenas miré nada. Me daba pudor, no sé, o vergüenza hurgar en sus cosas.

—Lo entiendo.

—El caso es que ya tenía todo hecho y aún era pronto, así que encendí la tele del salón. Nunca había visto la televisión a esas horas. Solo la idea me parecía deprimente, como empezar a beber por la mañana. La apagué enseguida, salí al pasillo y descubrí en el techo una de esas trampillas de las que cuelga un cordel que, al tirar de él, despliega automáticamente una escalera. La desplegué y subí. Había un desván por el que no podías caminar derecho ni por el centro. Una buhardilla enana, podríamos decir, repleta de las cosas que se guardan ahí. Vi un par de juegos de maletas, un baúl de mimbre lleno de juguetes y peluches antiguos. También una cuna y una trona de las que se usan para dar de comer a los niños. Vi varias cajas de cartón selladas con cinta americana y un televisor viejo y dos o tres pilas de cintas de vídeo, de las de VHS, que ya pasaron a la historia, y un par de reproductores viejos de estas cintas. Una pequeña librería con cuentos infantiles, fascículos de esto o de lo otro y varias pilas de libros muy manoseados sobre fantasmas y temas paranormales en general. Luego descubrí otro baúl de mimbre con ropa de hombre, de esa ropa que se deja de usar pero que no se tira. Había un chándal muy cómodo, muy abrigado y prácticamente de mi talla. La ropa vieja de mujer, sin embargo, estaba colgada de una de esas barras apoyadas en un par de soportes con ruedas y protegida del polvo por una sábana. Cogí el chándal, salí del desván y cerré la trampilla. Luego fui a la habitación principal, dejé el chándal sobre la cama y busqué en el armario las marcas de las que había hablado la mujer. Allí estaban, en el costado derecho del mueble. Habían tallado, más que escrito, el nombre de la niña, Lucía, y al lado las rayas que indicaban su crecimiento, desde los cinco hasta los diez años. Junto a su nombre, el de su hermano muerto, Jorge, cuyas señales se detenían a los siete años. Mientras hacía todo esto, me dejaba invadir por una idea arriesgada que había ido tejiéndose en mi conciencia, casi a espaldas de mí, y que aún no sabía si sería posible llevar a cabo.

—¿Podemos conocerla? —preguntó O'Kane.

—Vacié el armario de tres cuerpos, colocando la ropa sobre la cama de tal forma que se pudiera volver a colgar luego en el mismo orden. No pude evitar oler algunas prendas de Lucía, la mujer, aunque procuré no recrearme en ello, pues el mero hecho de tocarla me parecía ya un poco morboso. Lo hice, en fin, con todo el respeto del que fui capaz. Una vez despejado, comprobé que su pared trasera estaba compuesta, tal como recordaba, de tres paneles unidos entre sí por unos junquillos o molduras que, al tiempo de tapar la unión, servían de embellecedores. Calculé que el panel del centro caía más o menos hacia la mitad del armario empotrado que había quedado escondido detrás. La ansiedad casi puede conmigo.

—¿Por qué? —preguntó O'Kane.

—Fui precipitadamente al garaje donde, tal como esperaba, encontré una caja de herramientas. La tomé, volví al dormitorio, moví el armario viejo, para separarlo del empotrado. Quité las puertas al empotrado, que era bastante profundo, las coloqué dentro del mismo armario, sobre las cajoneras, que lo recorrían de un lado a otro, en forma de encimera. Luego, arranqué, sin dañarlo, el panel trasero y central del armario de tres cuerpos, y utilizando las bisagras del empotrado lo convertí en una puerta practicable oculta por los junquillos de unión. Volví a colocar el armario de madera en su lugar, me metí en él y comprobé que desde su interior podía acceder sin problemas al espacio que quedaba detrás. Una vez dentro del empotrado, cerré la puerta practicada en la parte de atrás del de tres cuerpos y todo quedó como si no hubiera pasado nada. Tenía una excitación tremenda, imagínese, así que devolví la caja de herramientas a su sitio, regresé al desván y cogí unas mantas viejas y una especie de antigua palangana con las que regresé al dormitorio. Coloqué las mantas viejas sobre las puertas del armario empotrado y me tumbé cuan largo era para comprobar su comodidad. Quedaba espacio todavía para la palangana, que en realidad no pensaba utilizar sino en un caso de apuro. En resumen, que mientras la familia permaneciera en la casa, yo podría vivir y dormir allí dentro, en lo que el hombre, de nombre Fede, había calificado de cárcel del pueblo. Por tener, tenía hasta luz eléctrica, pues al abrir la puerta del armario se accionaba un interruptor que encendía una pequeña bombilla. Al quitar esas puertas y quedar liberado el interruptor, bastaba, para encender o apagar la bombilla, con aflojarla o apretarla. Para ello tuve que dejarla al descubierto, pues estaba protegida por un embellecedor de plástico sujeto con un par de tornillos.

—Como en una tumba —señaló O'Kane con un acento que le salió fúnebre, aunque pretendía resultar festivo.

El público llevaba un rato riendo a carcajadas y aplaudiendo a rabiar. La audiencia, pensó Damián, debía de estar rompiendo todos los índices. De hecho, la dirección del programa había decidido suspender o retrasar un bloque de publicidad porque no encontraba el momento adecuado para interrumpir la entrevista. Cuando el público se calmó, Damián contó que tras devolver la ropa descolgada a su lugar y dejarlo todo como estaba antes de la operación, se había dado una ducha, se había puesto ropa interior limpia del hombre de la casa y sobre ella se había colocado el chándal hallado en el desván.

—¿Y qué hizo con la suya? —preguntó O'Kane.

—La distribuí entre los departamentos de la cajonera del armario empotrado. Los zapatos también, porque donde el chándal había encontrado asimismo unas zapatillas viejas, de las de andar por casa, muy cómodas.

—¿Y luego?

—Dejé pasar el tiempo. Cuando llegó la hora de comer, me preparé unos huevos fritos y una ensalada, recogí otra vez la cocina y dejé que el tiempo continuara pasando.

—¿Y qué pensaba mientras dejaba pasar el tiempo?

—Pensaba que se me había olvidado algo, pero no lograba recordar el qué. La verdad es que llevaba con esa sensación toda la mañana.

—Eso es porque tiene usted muchas cosas en la cabeza —aventuró O'Kane.

—Qué va, al contrario. Mi vida no era nada complicada. Ya ve, a lo largo de aquellas horas el móvil solo había vibrado una vez, y era un mensaje del banco. Se pasaba días, semanas, sin sonar. A veces me llamaba a mí mismo desde el fijo para comprobar que no estaba estropeado. Hay mucha gente que hace eso, ¿no?, cuando el móvil no suena, como esos aprensivos que se llevan la mano al corazón para comprobar que sigue palpitando. En el fijo tampoco recibía llamadas, pero curiosamente no se me ocurría que pudiera estar estropeado.

—Todo esto venía, Damián, a que se le había olvidado algo. ¿Logró recordarlo?

—Ah, sí.

—¿Y qué era?

—El ardor de estómago. Me había desaparecido.

7

A media tarde regresaron, juntas, la mujer y la adolescente.

—Oí un ruido sordo —le dijo Damián Lobo a Sergio O'Kane— que identifiqué enseguida con el que producía la puerta del garaje al abrirse. Era de las basculantes, con dos hojas que al replegarse contra el techo provocaban una pequeña sacudida.

—¿Dónde se encontraba usted en ese momento?

—Estaba en el salón, leyendo el manual de instrucciones de la campana extractora de humos de la cocina. Había dado con un cajón donde guardaban los libros de instrucciones de todos los electrodomésticos de la casa.

—¿Y qué hizo? —repreguntó O'Kane cortando en seco las risas del público, para que la entrevista no perdiera ritmo.

—Corrí al dormitorio, claro, me colé en el armario de tres cuerpos y, a través de él, apartando a un lado la ropa, alcancé el hueco del armario empotrado por la puerta secreta del fondo. Llevé conmigo el manual de instrucciones de la campana, por si me apetecía leer.

Los invitados volvieron a reír.

—¿Y luego?

—Luego permanecí allí, atento a los ruidos que procedían del resto de la casa y que llegaban muy amortiguados a mi escondite pese a que la puerta del dormitorio estaba abierta, como la habían dejado ellos al salir.

El exceso de atención puesto en los movimientos de la vivienda le hizo olvidarse por unos momentos del show televisivo. Leía cada ruido con el esfuerzo de quien lee un texto medio borrado, con las palabras y las letras rotas. No obstante, adivinó enseguida que habían llegado solas la mujer y la hija. Quizá, como ocurría en tantas familias, tuvieran dos coches, uno grande y nuevo, que utilizaría el padre, y otro más pequeño, posiblemente de segunda mano, que conduciría la esposa.

Sometido a una tensión extraordinaria, Damián iba y venía desordenadamente de la realidad al programa de O'Kane y del programa de O'Kane a la realidad. No resultaba fácil estar en los dos sitios a la vez. Las voces femeninas llegaban hasta su escondite, pero no con la suficiente nitidez como para entender el contenido de la conversación. El tono, en todo caso, parecía tranquilo, como el que se utiliza en la vida cotidiana para intercambiar informaciones o advertencias de orden práctico. Se escuchó el ruido de puertas que se abrían o se cerraban, de pasos que iban y venían, de toses, el rumor lejano de la televisión... Luego, tras un tiempo indeterminado, la mujer entró en el dormitorio. Damián la sintió llegar, la escuchó moverse de un lado a otro.

—¿Abrió el armario? —preguntó O'Kane.

—Sí —dijo—, supongo que para cambiarse de ropa. Y lo dejó abierto un buen rato según deduje de la calidad de los sonidos.

—¿No temió que descubriera la puerta secreta que comunicaba con el empotrado?

—No. Los junquillos cubrían los puntos de articulación y la ropa cubría del todo la pared del fondo. Había hecho los cambios a conciencia.

—¿Era usted consciente de que cuando ella sacaba o metía un vestido, su mano estaba apenas a un palmo de usted?

—Sí, y separada de mí por una fina tabla de contrachapado. Sin embargo, era como si estuviéramos en dimensiones paralelas de la realidad. Muy cerca y muy lejos a la vez.

—Dígame la verdad, ¿no tuvo miedo?

—No, solo...

—¿Qué?

—Me pregunté si aquello era una forma de

invisibilidad. Si Dios, por decir algo, pues no soy creyente, estaba al otro lado de un tabique tan delgado como el que me separaba a mí de la mujer.

—¿Y qué se respondió?

—Que sí, que quizá sí.

—Y qué más.

—Percibí que la mujer se alejaba hacia la cama dejando, como digo, la puerta central del armario abierta.

El silencio en el estudio de televisión era tan profundo que hasta el más leve carraspeo resultaba escandaloso. Reinaba la impresión de que se podía oír el batir de las pestañas de los espectadores al parpadear. O'Kane calló unas décimas de segundo, para que ese silencio se espesara todavía más, e insistió:

—¿Pensaba usted que tenía derecho?

—¿Qué daño hacía a nadie?

—No sé, siga.

—La mujer, como digo, debió de cambiarse de ropa y cerró el armario. Luego entró en el cuarto de baño, pues al poco escuché el ruido de la cisterna al descargarse y enseguida el grifo del lavabo. Como ya había imaginado, era de esas personas que se lavan las manos después de utilizar los aseos.

Cuando cesaron las risas provocadas por esta precisión, O'Kane animó a su invitado a que siguiera relatando lo ocurrido.

—La mujer —dijo Lobo— regresó al dormitorio y la escuché hablar por teléfono. Tuve que entreabrir la puerta secreta para asomar la cabeza y distinguir sus palabras. Hablaba con el marido. Le preguntó si había regresado a casa a lo largo del día, a lo que el otro debió de responder que no.

—Es que es muy raro —añadió ella tras una breve pausa—, tenía idea de que habíamos dejado algunos cacharros sucios y la cama sin hacer. ¿O la hiciste tú antes de que saliéramos?

—El marido —dijo Damián a O'Kane— debió de conjeturar alguna respuesta razonable, de modo que la mujer desistió de hacer más averiguaciones. La oí trastear todavía un poco por el dormitorio y luego lo abandonó cerrando la puerta.

—Y usted allí, en las profundidades.

—Yo allí, sí. Se me había acabado la batería del móvil, por lo que mi aislamiento del mundo era absoluto, como si me encontrara en el interior de una nave espacial que se dirigiera a Marte y que hubiera perdido el contacto con la base. Muchas veces, antes de dormirme, fantaseaba con esta idea.

—¿Con la de viajar a Marte? —preguntó O'Kane.

—Sí, a Marte.

—¿Para conocer gente? —repreguntó el showman con mordacidad, provocando las risas del público.

Damián Lobo reflexionó unos instantes.

—A la gente —dijo visiblemente molesto por la ironía del presentador— ya la conocía. Iba a Marte para no tener que aguantarla.

—¿Es usted poco sociable?

—Digamos que soy raro.

—¿Raro, en qué sentido?

—En el sentido de buena persona, yo soy una buena persona, jamás he hecho daño a nadie, y eso me ha alejado del mundo.

—¿La bondad aleja?

—Sí.

—¿Considera que el mundo es malo?

—Y peligroso.

—¿Y usted lo estaba mejorando o haciéndolo menos peligroso con esa aventura?

—Tal vez, el tiempo lo decidiría.

—¿No sería más correcto afirmar que se estaba vengando de él?

—¿Vengarme del mundo? No se me había ocurrido.

—¿Qué más sucedió?

—El marido llegó tarde, sobre las nueve. Le precedió el ruido de la puerta del garaje al abrirse y volverse a cerrar. Disponían de dos coches, como yo había imaginado. Tras perder unos minutos por el interior de la casa, entró en el dormitorio, como había hecho su mujer, y, por lo que pude adivinar, se cambió de ropa también. Cuando salió, los ruidos se desplazaron definitivamente al otro extremo de la vivienda y a partir de un momento determinado solo me llegaba el soniquete de la televisión y el ruido ocasional de alguna puerta al abrirse o cerrarse. Me tomé dos piezas de fruta que había tenido la precaución de llevarme, junto al manual de instrucciones de la campana extractora. Luego me dieron ganas de orinar, pero no me atreví a salir y lo hice en la palangana. Ellos se acostaron sobre las doce. Apenas hablaron, en todo caso no intercambiaron ninguna información que me fuera útil. Se quedaron dormidos con la radio encendida, que a partir de una hora se apagó sola o la apagaron.

—¿Tuvo dudas acerca de si lo que hacía era correcto? —insistió O'Kane.

—Dudas, ¿por qué? Esa noche dormí mejor que la anterior, pues el hueco del armario, gracias a la cama que había improvisado en él, resultaba muy cómodo. Y muy bueno para la columna, ya que era recto y duro. Me desperté de madrugada, sobre las tres, lo que no era raro en mí, pues tengo un sueño irregular. El silencio y la oscuridad eran totales. No me atreví a encender la luz del armario por si se filtrara alguna línea hacia el exterior. Me habría gustado tener una radio con auriculares, pues de ese modo combatía el insomnio en mi casa. Me gustan los programas de noche, en los que la gente llama a las emisoras y cuenta cosas de las que se avergonzaría a la luz del día. Me molestaba un poco el olor de mi orina en la palangana, así que pensé que en el futuro debería organizarme para no tener necesidad de ir al baño desde media tarde hasta el día siguiente a primera hora. Solo era cuestión de no beber a partir de una hora determinada.

—¿Cómo lo sabía?

—Bueno, ejem... Es una cosa personal, pero ya le he contado a usted tantas que una más... Verá, yo me oriné en la cama hasta muy mayor...

Las risas, más abundantes y fuertes de lo habitual, hicieron callar a Damián, quien dedujo, por el gesto de O'Kane, que le estaban avisando por el pinganillo de que la audiencia subía. Lo escatológico siempre funcionaba, sobre todo si lo administrabas debidamente. Cuando se atenuó la bulla, continuó hablando sin modificar la expresión de seriedad triste con la que solía reaccionar a estas manifestaciones del público:

—En cierta ocasión, cuando tenía doce o trece años, acudí con mi colegio a un campamento de verano en el que dormíamos seis críos por habitación, en dos literas de tres camas. Mearse allí habría sido un desastre, sobre todo porque me habían asignado una de las camas de arriba, de modo que me impuse no beber agua desde la hora de comer hasta el día siguiente. Y aun a la hora de comer bebía muy poca; ninguna, si teníamos sopa de primero. Con esa fórmula, más un sueño tenso, con el que quizá no descansaba lo debido pero que me permitía permanecer atento a las necesidades de mi cuerpo, logré sobrevivir a las dos semanas que duró el campamento.

—¿No se meó en la cama?

—No, estuve a punto de hacerlo una noche en la que soñé que iba al baño, pero justo cuando estaba a punto de comenzar me di cuenta de que estaba dentro de un sueño y me desperté. Apenas había soltado un par de gotas. Aprendí que no debía fiarme de los sueños.

Cuando el público se recuperó de las carcajadas, O'Kane insistió en que diera más detalles de aquella primera noche en el armario.

—Pues era lo mismo que para una morena permanecer dentro de una grieta submarina. O como estar dentro de una burbuja. El mundo se movía, la Tierra flotaba en el espacio y yo erraba a través de él completamente encapsulado, como un astronauta.

—¿Y no sintió claustrofobia?

—No, al contrario, jamás me había sentido tan libre. Como si aquel armario fuera el centro del universo, como si el mundo se expandiera a partir de él...

En ese momento, sobre las cuatro de la madrugada, escuchó en la habitación unos ruidos que lo arrancaron del show televisivo. Aplicó el oído al contrachapado y dedujo que uno de los dos ocupantes de la cama se había levantado para ir al baño y regresar enseguida al lecho. Escuchó el ruido de la cisterna al descargarse, pero no el del grifo del lavabo, por lo que pensó que se trataba del hombre, que, al contrario de la mujer, no se lavaba las manos después de utilizar el retrete.

Cuando todo regresó al orden anterior, Damián Lobo se sintió reclamado por Sergio O'Kane para que volviera al plató, pero no acudió. Empezaba a fatigarle esa exposición televisiva permanente. La fatiga solía guardar relación con pérdidas pasajeras de la calidad de real del show, que no siempre resultaba igual de intensa. En estas bajadas, no se creía el programa de televisión al modo en que uno no se cree la película que ve o la novela que lee. Entonces desaparecía, y aunque escuchaba a O'Kane reclamarle, hacía oídos sordos. Cuanto más tiempo se ausentaba, con más ganas volvía, como si durante el alejamiento la fantasía se fortaleciera sin que él mantuviera hacia ella más que una atención flotante.

Esa noche no volvió. Se durmió a eso de las cinco y le despertó a las siete menos cuarto el sonido de la radio con las noticias, que llegaban confusas hasta su agujero. La casa se puso en marcha con rituales idénticos a los del día anterior. Cuando la familia abandonó el domicilio, Damián salió de su escondite, vació el recipiente en el que había orinado, desayunó, recogió los cacharros, hizo las camas, se duchó, se cambió de ropa interior, abandonó la sucia en un cesto de mimbre que halló en el cuarto de baño utilizado por la adolescente y revisó todos los armarios en busca de alguna información que le pudiera ser útil para la supervivencia en aquel mundo extraño.

SEGUNDA PARTE

1

Hombre de rutinas, no le costó crear durante los días siguientes las subordinadas a los horarios del hogar en el que había ido a caer y cuyas cargas fue asumiendo de forma progresiva. Así, además de ocuparse de las camas y de los platos sucios, empezó a preparar las cenas de la familia con lo que encontraba en la nevera. Más tarde, programó los días de colada y los de plancha. Pasaba la aspiradora los lunes y quitaba el polvo los miércoles y viernes. A las cuatro o cinco semanas de su ingreso, había asumido la práctica totalidad de los trabajos necesarios para el adecuado mantenimiento de una vivienda de aquellas características.

Aunque abordaba cada nueva tarea cuando la anterior se había asumido con naturalidad, para no provocar en el grupo una alarma excesiva, lo cierto es que solo la mujer, Lucía, pareció advertir la dimensión del cambio. El marido y la hija vivían en un mundo en el que lo natural era que alguien se ocupara de las cuestiones domésticas. O bien no se preguntaban quién era ese alguien, o bien daban por hecho que se trataba de la madre. Esto era al menos lo que a Damián le era dado percibir desde su reclusión.

Un día, al poco de haberse instalado, escuchó desde el armario una conversación telefónica entre Lucía, a la que intuyó sentada en la cama, cerca de la mesilla de noche, y su madre. Tras las frases de cortesía entre una y otra, la hija dio unos rodeos, como si dudara de hacer partícipe a su progenitora de lo que ocurría en su hogar. Finalmente abordó, titubeante, el asunto:

—Mamá, si te digo una cosa, ¿te vas a reír? —preguntó.

—...

—¿Recuerdas que te dije que había encontrado en un mercadillo el armario de los abuelos?

—...

—Ha quedado muy bien, en nuestra habitación, sí. Además tiene una capacidad enorme, mucho más que la del empotrado, que hemos tenido que condenar.

—...

—Es que no había otra pared donde colocarlo. Pero deja eso, lo que te iba a decir, no te lo vas a creer, es que desde el mismo día en el que entró el armario por la puerta, se instaló en la casa, cómo te diría, una especie de presencia invisible y bienhechora que...

—...

—¿Cómo que en qué lo noto? En que está todo más ordenado, como si las cosas se colocaran solas.

—...

—Ya sabía yo que te ibas a reír.

—...

—No te cuento más, conocía tu reacción de antemano.

—...

—A ti te hará gracia, pero a mí me ha salvado la vida. Esta casa es más difícil de llevar que un piso y hemos tenido que prescindir de la asistenta porque ya sabes que a mí me han reducido el sueldo y que la tienda no va bien. Bueno, va mal.

—...

—¿Fede? Fede no es capaz de freír un huevo ni de poner el lavavajillas o la lavadora. Y María está en esa edad... María, mamá, tiene problemas, no te he dicho nada para no preocuparte, pero...

—...

—Bueno, problemas con la comida. No es grave, muchas niñas tienen trastornos de ese tipo a su edad, pero entre unas cosas y otras... En fin, que no está bien. No estamos bien.

—...

—No, ya te contaré.

—...

—¿El tiempo?, de temperatura, estupendo, ya hemos quitado la calefacción, pero llueve mucho casi todos los días. Dicen que es el mes de abril más lluvioso desde no sé qué año del siglo pasado.

Las conversaciones telefónicas que la mujer tenía en el dormitorio, sumadas a los sucesivos registros de la vivienda, iban proporcionando a Damián una imagen de los miembros del grupo. Y cada uno tenía sus rasgos, sus problemas, que se enlazaban a los de los otros formando un curioso tejido de encuentros y desencuentros que componían el tapiz familiar. Nunca se había asomado a una familia, ni siquiera a la suya, como el que observa al microscopio el comportamiento de una colonia de microorganismos. Los resultados del examen le producían asombro y confusión.

Pronto averiguó que Fede, el marido, regentaba una tienda de juguetes electrónicos de su propiedad, situada en un centro comercial. Supo también que la mujer trabajaba para un empresario que poseía estaciones de servicio y una cadena de panaderías conocida por sus productos artesanales. Averiguó que Lucía y Fede llevaban casados quince años y que María, la adolescente, en cuyo ordenador había encontrado un diario íntimo que leyó por encima, con la desagradable impresión de violarla, era la única de su clase a la que no le había venido la regla, asunto que le preocupaba y le producía alivio a partes iguales. La idea de sangrar le daba asco y la de ser distinta a sus compañeras le producía ansiedad. En cualquier caso, había hecho creer a sus padres que le había venido, manchando de rojo, de forma periódica, tampones que luego abandonaba en la papelera del cuarto de baño.

Damián ocultó gran parte de toda esta información a Sergio O'Kane, del que había empezado a distanciarse. Cada vez acudía con menos frecuencia a su programa y cuando lo hacía se mostraba más reservado que antes. El distanciamiento se debía a que el showman, quizá envidioso del creciente éxito mediático de Damián, había intentado arrebatarle en los últimos encuentros todo el protagonismo. Sus preguntas estaban siempre cargadas de ironía, a veces de mala intención, y de insinuaciones sobre una posible patología mental de su invitado. Pese a ser consciente de que O'Kane era una creación suya, Damián guardaba hacia él un resentimiento que de un lado le extrañaba y de otro le parecía lógico.

Las rutinas familiares cambiaban los fines de semana. Los sábados, el marido trabajaba en la juguetería del centro comercial, que permanecía abierta todo el día, mientras la madre y la hija dedicaban la mañana a holgazanear, aunque con frecuencia iban a hacer la compra a un supermercado que debía de estar cerca de la vivienda. Damián observó que compraban más de lo necesario y mal. Las definió como compradoras de impulso, sin capacidad organizativa. Las alitas de pollo, que adquirían por docenas, les caducaban en los estantes del frigorífico, igual que las verduras y los quesos, a los que con frecuencia era preciso quitar una capa de moho antes de alcanzar la zona comestible. El día que se puso a limpiar la nevera, sacó de su fondo yogures fermentados y salsas descompuestas que debían de llevar meses abandonadas a medio utilizar. Calculó que con lo que ahorrarían comprando bien, podrían pagarse una asistenta.

La tarde de los sábados, la hija solía salir con sus amigas y la madre permanecía en la casa o se iba a la tienda de juguetes para echar una mano a su marido y a la empleada de que disponían. En ocasiones, el matrimonio volvía tarde, a veces solos, a veces con la hija, a la que seguramente recogían del cine o de la casa de alguna amiga. Cuando no la recogían ellos de donde quiera que estuviese, la obligaban a regresar no más tarde de las diez y media, horario que por lo común cumplía. Ocasionalmente, dormía en casa de una compañera o una compañera se venía a dormir a la suya.

En cuanto a los domingos, no era raro que aparecieran familiares o amigos y que las comidas se prolongaran en sobremesas que duraban hasta la media tarde. Algunos domingos comían fuera; Damián no siempre podía precisar dónde, pues dependía de lo que escuchara desde el armario y el matrimonio hablaba poco cuando llegaba al dormitorio. En todo caso, solían regresar pronto pues la joven tenía muy restringido el ocio este día de la semana, cuyas tardes dedicaba, o debía dedicar, al estudio.

Si no había invitados, la familia comía en el salón, viendo las noticias. Los padres dividían la tarde entre la televisión y diversas tareas, como el cuidado del jardín, del que Damián no se ocupaba en absoluto por miedo a ser descubierto por algún vecino o fotografiado por algún satélite. No leían porque no había libros, si exceptuamos la pila de volúmenes sobre cuestiones paranormales hallada en el desván, y que debía de pertenecer a una época en la que Fede o Lucía, más probablemente Lucía, tuvieron afición por esos asuntos.

Un día en el que O'Kane le preguntó por qué se había resistido a averiguar en qué zona de la ciudad se encontraba el hogar de la familia, respondió que conociendo ese dato geográfico habría roto la magia.

—¿La magia? —preguntó O'Kane con expresión irónica—. ¿Qué tenía aquella situación, claramente ilegal, de mágica?

La alusión a las leyes le había parecido a Damián fuera de lugar, por lo que se levantó y abandonó el plató dejándolo con la palabra en la boca. No era la primera vez que lo hacía, para desesperación del presentador, cuyo programa iba perdiendo audiencia a medida que su principal atracción se retiraba de él.

La familia operaba, en fin, con arreglo a unas pautas perfectamente establecidas, y aunque sus miembros apenas discutían, tampoco realizaban manifestaciones de afecto. Ausente el amor, funcionaba entre ellos una especie de pacto implícito de convivencia, como si, en vez de en un hogar, se encontraran en la sala de espera de una estación, donde cada uno esperaba partir tarde o temprano hacia un destino diferente.

El hombre y la mujer hacían el amor muy de tarde en tarde, sin aventurarse más allá de unas rutinas que parecían fuertemente asentadas. El conjunto de sus exclamaciones y jadeos, lejos de excitar a Damián, le provocaba una extrañeza fría. Así, mientras los cónyuges avanzaban hacia el orgasmo (cada uno hacia el suyo, como dos trenes que se cruzan), él, en las profundidades del armario, se preguntaba si su vida habría sido como la de ellos de haberse adaptado a las costumbres del común de la gente.

Se imaginaba a sí mismo como padre de familia, regentando una juguetería, y sonreía, escéptico, incapaz de decidir si sí o si no. En cambio, formar parte de aquel grupo en calidad de fantasma le resultaba agradable. No habría encajado en ningún otro de los papeles. No se veía ni como marido, ni como esposa ni como hija. Solo como una presencia invisible que disfrutaba ocupándose de la intendencia, que era una rama del mantenimiento.

A veces se preguntaba cuánto duraría aquello y fantaseaba con la posibilidad de que durara toda la vida. Y de que progresara, es decir, que llegara un momento en el que pudiera abandonar el armario y mezclarse con los demás sin ser visto. Coincidirían en la cocina, en el salón, en el pasillo, pero no le verían. Serían cuatro y parecerían tres.

Damián no era insensible a la gratitud que sus desvelos provocaban en la mujer, cuya felicidad creciente resultaba manifiesta. En un momento dado, Lucía empezó a bajar del desván algunos de los antiguos libros sobre fantasmas, que subrayaba de manera profusa y ocultaba luego en el fondo del armario de los abuelos, muy cerca del escondite de Damián, donde ni su marido ni su hija pudieran encontrarlos. Damián los leía después de ella, prestando especial atención a aquellos subrayados que, de un modo u otro, se referían a él. A él como un individuo de otra dimensión con capacidad sin embargo para actuar en esta.

Y a medida que se identificaba con esos entes que vuelven de la muerte para ayudar a los seres queridos, O'Kane iba volviéndose más y más prescindible. Un día, Damián decidió dejar de acudir definitivamente a su programa de televisión, del que más tarde supo que había sido clausurado por falta de audiencia. Cuando se imaginaba al otrora exitoso showman haciendo pasillos o mendigando trabajo a los directivos de la cadena de la que había sido una estrella, se sentía raramente vengado. Absorto como estaba en los afanes de su nueva existencia, no se preguntaba el porqué de su odio a alguien que no existía fuera de su cabeza.

2

Mayo vino también lluvioso. Damián jamás había observado la lluvia con el deslumbramiento actual. A veces, tras acabar las tareas domésticas, se perdía en su contemplación hasta que empezaba a llover también dentro de él. Las tormentas producían una luminosidad extraña, en la que nunca antes había reparado, y que parecía un reflejo de su estado de ánimo. En el jardín, todo brotaba a una velocidad sorprendente.

La lectura ansiosa de los libros de fantasmas y aparecidos sustituyó a la de los manuales de los electrodomésticos y a la de los folletos de instrucciones que Fede traía de la tienda para estudiar el funcionamiento de algunos juguetes electrónicos especialmente complejos. Y aunque jamás se había interesado antes por las cuestiones de orden sobrenatural, las historias de aquellos volúmenes provocaban en él un encantamiento desconocido.

Más que leer las frases, las deglutía, les daba vueltas en la boca, mezclándolas con su saliva, y luego las dejaba caer al interior de sí, donde continuaban actuando con un extraño poder de sugestión.

Un día, después de enterarse por uno de estos libros de la existencia de un fantasma especializado en dar muerte a los niños que no se lavaban las manos antes de comer, cerró los ojos y vio dentro de su cabeza a un crío que entraba en el cuarto de baño de su casa y usaba el retrete, limitándose luego a abrir el grifo para que el ruido del agua engañara a sus padres. Lo vio abandonar en su imaginación el baño bajo la mirada satisfecha de sus progenitores, y recorrer el pasillo de la casa arrastrando un muñeco, completamente ajeno a la presencia del fantasma encargado de arrancarles la cabeza a los dos, al muñeco y a él. Las palabras de aquellos libros, acompañadas del ritmo incesante de la lluvia, formaban en su mente imágenes de una consistencia feroz, apenas igualada en otro tiempo por las alucinaciones del plató de televisión en el que reinaba Sergio O'Kane.

Lo fantasmagórico poseía ahora una corporeidad insólita. Los muertos recorrían el mundo de los vivos con la naturalidad con la que el agua salía de los grifos o la luz de las lámparas. Bastaba con activar el interruptor de la lectura de aquellos volúmenes para que la realidad perdiera sus límites acostumbrados, prologándose en presencias sutiles pero ciertas. Él era una de esas presencias, él, que hasta hacía poco vivía sometido a las servidumbres del común de los mortales, se expandía ahora más allá de su cuerpo actuando como una suerte de daimon sobre el universo de los vivos, pero especialmente sobre el de Lucía, la mujer que vivía en aquella casa y sobre la que proyectaba su sombra bienhechora.

Adquirió enseguida algunas de las condiciones de los aparecidos, de los que vuelven o de los que ni siquiera se han ido, bien por no haber encontrado el camino, bien porque los retiene algún asunto sin resolver en este mundo. Quizá había llegado a aquella casa dentro del armario porque así lo habían decidido determinadas fuerzas invisibles asociadas al viejo mueble. Tal vez él era el instrumento de esas fuerzas, tal vez los vivos se convierten a veces en herramienta de los difuntos, como había leído en uno de aquellos títulos sobre sucesos inexplicables. No un vivo cualquiera, no se elegían al azar, pues se requerían determinadas condiciones mentales, además de una sensibilidad exacerbada como aquella de la que él había sido siempre víctima o beneficiario.

En ocasiones, tras cerrar uno de aquellos libros, tenía décimas de fiebre que atribuía a la intensidad lectora. Empezó entonces a responder con los propios a los subrayados de la mujer, de forma que se fue estableciendo entre ellos un extraño diálogo. Como ella subrayaba en azul, él eligió el rojo. Al principio, se limitaban a destacar las frases que les habían llamado la atención o que les concernían de una manera u otra. Después, letras o palabras sueltas con las que construían frases de nuevo cuño.

—¿Quién eres? —le preguntaba ella rodeando con un círculo numerado las letras o palabras que construían la oración.

—¿Acaso no lo sabes? —respondía él con el mismo procedimiento.

—Creo que sí, que lo sé —respondía ella—. ¿Has venido a salvarme?

—¿A qué, si no? —respondía él.

Procuraba ser parco en sus respuestas en la convicción de que la economía verbal transmitía sensación de inteligencia más que el despilfarro.

—¿Todos los fantasmas son inteligentes? —le preguntó un día la mujer.

—Todas las personas inteligentes tienen algo fantasmal —respondió, dándole la vuelta a la pregunta, lo que había aprendido de su padre, muy aficionado a los retruécanos.

De este modo, resultaba enigmático también, algo imprescindible para mantener su estatus. En cualquier caso, las dificultades mecánicas inherentes a la forma de comunicarse obligaban a ambos a escribir mensajes breves, lo que de momento jugaba a favor de Damián.

—¿Qué has hecho hoy? —preguntaba Lucía.

—Lo importante es lo que he deshecho —respondía él.

Más tarde empezó a combinar las lecturas de los libros sobre el más allá con incursiones en la Red llevadas a cabo desde el ordenador de la adolescente. Las únicas huellas que dejaba en el aparato eran las dactilares que, por su propia naturaleza, resultaban invisibles para la gente común. Un día tosió frente a la pantalla, impregnándola de pequeños puntos de saliva que no limpió al comprobar que se confundían con los de la propia María. Quizá, pensaba a veces, en sus idas y venidas de un lado a otro de la casa, dejaba en el aire también un leve rastro de su olor corporal y de las escamas microscópicas que se desprendían de su piel o de su cuero cabelludo.

No echaba de menos el tabaco, al que durante años había sido adicto. Comprendió que en cada calada, cuando todavía fumaba, iba buscando aquella que le hiciera daño y que siempre se encontraba en el siguiente cigarrillo, de ahí que consumiera uno detrás del otro sin que el daño llegara a manifestarse nunca, no al menos en el grado que él imaginaba. Pensó que al alcohólico le ocurría algo semejante con la bebida. Daba un sorbo tras otro persiguiendo aquel que, lejos de aturdirlo, lo iluminara de un modo concluyente. Pero la iluminación siempre estaba en la siguiente botella. Ahora, las caladas que no daba, y que podía enumerar porque había llegado a contarlas, le conducían a una suerte de iluminación inversa cuyos contenidos se afanaba en descifrar.

Le habían crecido mucho el pelo y la barba, pues dejó de afeitarse enseguida por miedo a que el uso de la maquinilla alertara a su dueño, ya que la calidad de sus barbas era muy distinta. Su aspecto empezaba a parecerse al de un robinsón que vivía en una isla habitada por seres de otro mundo.

Buscaba en la Red historias de fantasmas, veía vídeos, fotos, se preguntaba cómo había permanecido ajeno durante tantos años al mundo aquel tan cierto, y rememoraba el modo en el que se habían sucedido las cosas, tan extravagante en sí, tan singular, tan increíble, que solo podía ser el fruto de un designio al que no tenía otro remedio que plegarse.

En sus vagabundeos por internet dio con multitud de foros sobre muertos y aparecidos. La mayoría carecía de interés porque las intervenciones procedían de personas desequilibradas o de gente ociosa que se acercaba al asunto con ánimo de diversión. Pero en otros los participantes daban cuenta de experiencias extraordinarias narradas con sinceridad y asombro.

Le impresionó vivamente el caso de una joven que en cierta ocasión, al recorrer el pasillo de su casa, «sintió una corriente de aire que la vació de todo lo que llevaba dentro llenándola de todo lo que se encontraba fuera». Algo así le había ocurrido a él una noche en el interior del armario, tras un leve ataque de claustrofobia que se solucionó con la ayuda de una sensación semejante: la de que, pese a las apariencias, él no estaba en el interior del armario, ni siquiera en el interior del mundo, sino que eran el armario y el mundo los que se hallaban dentro de él.

En ese mismo foro, un hombre contaba que un día, yendo en el autobús al trabajo, sonó dentro del bolsillo interior de su chaqueta el timbre del teléfono móvil. Cuando fue a cogerlo, sin embargo, el aparato permaneció en silencio. Comoquiera que continuara oyendo el timbre, sacó la billetera, de donde parecía proceder el sonido. Y en efecto, emanaba de una foto de su hija muerta en cuyo segundo plano aparecía un teléfono fijo. Ese era el aparato que sonaba y que, lógicamente, le resultaba imposible descolgar. ¿Para quién era la llamada?, se preguntaba, ¿para la niña muerta?, ¿para él? ¿Y de quién? ¿Quién llamaba? A partir de aquel día, según contaba el participante del foro, el teléfono de la fotografía empezó a sonar con regularidad, a veces en medio de la noche, sumiendo en la impotencia, cuando no en la desesperación, al padre de la joven fallecida.

Ahora bien, lo común a todos los que participaban en los foros era su condición de humanos. Los fantasmas, por alguna razón, no escribían para contar sus experiencias en el universo de los vivos. Por eso, tardó mucho en decidirse a intervenir en calidad de espíritu. Por fin, una mañana, lleno de aprensiones, entró en el foro que más confianza le aportaba y escribió:

—Soy uno de esos fantasmas de los que habláis aquí y vivo en la casa de una familia que lógicamente no puede verme, aunque se beneficia de mi presencia. Al contrario de la mayoría de los espíritus de los que habláis, mis acciones son útiles. No me dedico a hacer ruidos, ni a apagar o encender las luces, ni a cambiar las cosas de sitio. Mi destino es facilitar la existencia de estas personas, de modo que, mientras sus componentes permanecen fuera, me ocupo de las tareas domésticas y del mantenimiento general de la vivienda, pues soy experto en todo tipo de reparaciones. Me gustaría saber si hay por ahí algún otro fantasma en una situación semejante a la mía, para intercambiar experiencias.

En uno de esos rasgos de humor involuntario que tanto éxito le habían proporcionado en las entrevistas con Sergio O'Kane, firmó su intervención como Mayordomo Fantasma, alias que enseguida hizo fortuna en esos ámbitos de la Red. Las respuestas no se hicieron esperar, por lo general en tono de burla. Comoquiera que él respondiera a todas con su gravedad acostumbrada, poco a poco se lo fueron tomando en serio, iniciando así un periodo de fama que, a diferencia de la que había disfrutado con Sergio O'Kane, era real, pues sucedía fuera de su cabeza.

Los internautas le hacían preguntas acerca de

su condición y él las respondía con acierto y prudencia. Afirmaba de sí que era un fantasma adherido a un mueble al modo en que otros espíritus permanecían asociados a una vivienda o a una alcoba que constituían el centro de sus actuaciones. No reveló la clase de mueble por no dejar señales que facilitaran su localización. Tampoco, por las mismas razones, dio demasiados detalles sobre la familia en la que se había «incrustado».

—Disculparán ustedes —decía a los participantes del foro en el que finalmente se instaló— que no les proporcione datos que permitan la localización de la familia que me acoge, pues ello le aportaría una fama incómoda.

La popularidad de Mayordomo Fantasma rebasó enseguida la de los círculos de internet adictos a las cuestiones sobrenaturales, convirtiéndose en una noticia de consumo que empezó a circular en programas matinales de la radio que Damián escuchaba con creciente estupor mientras realizaba las tareas domésticas. Aunque muchos de los oyentes llamaban para hacer chistes o parodias, hubo algún programa especializado en asuntos paranormales que le prestó una atención respetuosa.

Por las noches, tumbado cuan largo era en el armario empotrado, atento a cualquier ruido procedente del exterior, pensaba que Sergio O'Kane, que aún se le aparecía implorándole que lo devolviera a la existencia, no había sido sino un peldaño en su ascenso hacia esta popularidad real que ahora debía administrar con recursos también reales. Lo curioso era que tales recursos se multiplicaban en la medida en la que se convertía en un fantasma verdadero, pues lo cierto era que con el paso de los días se desmaterializaba, o eso le parecía a él.

Contaba, desde luego, con su cuerpo para ir de un lado a otro de la casa, un cuerpo que seguía ocultando para no ser visto por ningún miembro de la familia, pero al mismo tiempo sus necesidades físicas disminuían de forma progresiva. Comía poco, algunos días prácticamente nada, aunque cogió gran afición al agua, con la que se identificaba por su transparencia, su capacidad de evaporación y su facilidad para cambiar de forma.

Desde la nueva condición, tan alejada de lo terrenal, evocaba a veces su existencia pasada y le parecía asombroso haber permanecido atrapado durante tanto tiempo en la libertad ficticia del mundo exterior. Paradójicamente, ahora que pasaba tantas horas dentro del armario se sentía libre. En esa forma de libertad nueva, el pensamiento fluía casi de un modo involuntario, como si fuera un jugo más de los segregados por su organismo. Y el universo tenía las calidades del cristal, todo era transparente para él, que venía sin embargo de un mundo opaco en el que a menudo había dudado de su inteligencia.

En ocasiones recordaba a su padre y a su hermana china, Desiré. Podía imaginarlos en su excelente piso de Arturo Soria, viendo juntos las entrevistas de Iñaki Gabilondo en Canal+, buscando también películas antiguas en esa emisora de pago, leyendo autores rusos del siglo XIX. Pensaba en su madre muerta, asesinada quizá por los celos. ¿Cuántos crímenes domésticos de aquella naturaleza se producían al día, a la semana, al mes, en una ciudad como Madrid?

En un breve ataque de hiperrealidad, le fue dado reconstruir en su mente el interior de cada una de las casas de un bloque cualquiera con la calidad de uno de esos hormigueros cortados longitudinalmente y cubiertos por una tapa de cristal o plástico que permiten observar el comportamiento de los animales. El comportamiento de los seres humanos en la cocina, en el cuarto de baño, en el salón. Una mujer cambiándose el támpax, un hombre haciendo pesas, un joven masturbándose delante del espejo...

En cuanto al comportamiento de su padre con Desiré, su hija adoptada, ¿habían sido imaginaciones suyas?

Por cierto, que recordaba muy vagamente, por no decir nada, las menstruaciones de Desiré. O ella las había llevado con mucha discreción o él no se había enterado, como de tantas otras cosas, por puro despiste. Si pudiera hablar con su hermana china, le preguntaría cómo era aquello y a qué edad le vino la regla, para ver el modo de ayudar a María, la adolescente de la casa, que la esperaba con ansiedad. ¿Cómo sería esperar la regla?, se preguntó imaginando a la joven de pie, con las piernas ligeramente abiertas, quizá con los ojos cerrados, escuchando las idas y venidas de su sangre por el interior de las arterias como un tren por el interior de un túnel.

¿Pero y si hubiera ocurrido algo durante su desaparición? ¿Y si su padre hubiera muerto, por ejemplo? Estaba en la edad. ¿Cómo se habría resuelto el asunto de la herencia? ¿Hay viejos que esperan la muerte con la ansiedad y el miedo con el que algunas jóvenes esperan la regla?

Milagrosamente, había logrado que su hermana china no se colara en sus últimas fantasías sexuales, centradas ya en el rostro de Lucía, si bien era cierto que con frecuencia, en el momento mismo de la eyaculación, el rostro de Lucía se convertía durante unas décimas de segundo en el de la china.

¿Se preguntarían su padre y su hermana en alguna ocasión por dónde andaba él, qué hacía, por qué no respondía a sus llamadas, en el caso improbable de que lo recordaran? Le gustaba imaginarlos abandonados a su destino como él se había entregado al caos. Pues eso era su existencia actual: un producto del caos al que en su vida anterior había venido enfrentándose equivocadamente. Lo había leído en uno de aquellos libros sobre el más allá, en un capítulo titulado «Los beneficios del desorden, las ventajas del descontrol». Él permanecía ahora fuera de control, fuera del mundo, de hecho, en una suerte de más allá desde el que por fin había hallado la forma adecuada de vincularse con el más acá.

Fue dentro del armario, una noche en la que en el mundo exterior se desataba una tormenta de lluvia y truenos de una ferocidad inusual, cuando advirtió que se había equivocado al firmar sus intervenciones en el foro sobre aparecidos como Mayordomo Fantasma. ¿Acaso la idea de mayordomo como una forma de ascenso social no resultaba humillante? ¿Era para sentirse orgulloso el modo del que se hablaba de él en los foros de internet, en la radio, y seguramente en los programas más groseros de la televisión, que no veía? ¿Estaba condenado a arrastrar siempre esa vida barata, esa existencia como de segunda mano de la que de súbito, en la oscuridad de su escondite, se avergonzaba?

3

En el foro de internet en el que solía participar aparecían cada día decenas de mensajes de internautas que aseguraban ser los beneficiarios del Mayordomo Fantasma.

—Vive en la mesilla de noche de mis padres —decían unos.

—He sentido su presencia en el cuarto de basuras de la mía —aseguraban otros.

Damián siempre pedía a cada uno de estos comunicantes que revelaran un detalle que solo pudieran conocer ellos dos. Y nadie acertaba, claro, hasta que un día, firmado por Agradecida, apareció el siguiente texto:

—Querido Mayordomo Fantasma, creo que soy tu beneficiaria.

A las preguntas de Damián, Agradecida describió, con toda clase de detalles, la cena que el fantasma había preparado el día anterior para ella y para su familia.

Así las cosas, presa de un grado excitación insólito que fue a manifestarse en el latido de sus sienes, Mayordomo Fantasma y Agradecida abandonaron el foro general para entrar en una zona privada donde continuaron sin testigos la conversación.

Damián preguntó qué sabían de él el marido y la hija de Lucía, a los que intuía como un peligro.

—Apenas nada —dijo la mujer—. Les hablé al principio de una presencia bienhechora que se había instalado en casa coincidiendo con la llegada del mueble de mis abuelos y se lo tomaron a risa. Después, cuando comprobé que existías realmente, y como no quería compartirte, yo misma me burlé de lo que había dicho. Saben que soy aficionada a estas cuestiones paranormales, pero nunca se las han tomado en serio.

—¿Y a quién atribuyen la realización de las tareas domésticas?

—A mí. Ellos, viendo el plato en la mesa, la ropa limpia y las camas hechas, no se hacen más preguntas. Además me paso el día eliminando pruebas de tu rastro, así que no hagas tantas cosas o acabarán sospechando. A veces, para que me atribuyan a mí todo lo que has hecho tú, tengo que trabajar el doble que si lo hiciera de verdad.

—¿No sería mejor que aceptaran mi presencia?

—Ya te he dicho que no te quiero compartir con nadie, con nadie.

Damián acusó el golpe emocional contenido

en la frase como si, más que aparecer en la pantalla del ordenador, la mujer se la hubiera susurrado al oído. Conociendo su voz, no le resultó difícil hacerse a la idea de cómo habría sonado. Eran las once de la mañana. Calculó que Fede, el marido, estaría en la juguetería; María, la adolescente, en el instituto; Lucía, en su trabajo. Solo se encontraba en la casa el único que no pertenecía a ella: él. De súbito, tomó conciencia de la anomalía representada por la escena. Se percibió como un intruso en la habitación de la joven cuya cama acababa de arreglar y cuyas bragas había metido en el cesto de la ropa sucia. Ahí estaba, increíblemente, haciéndose pasar por un fantasma mientras la vida, afuera, seguía un curso del que él se había retirado como el que se baja del autobús. ¿Y si se unía de nuevo a la colectividad antes de que sucediera una catástrofe?

En ese mismo instante podía interrumpir el diálogo con Lucía, apagar el aparato, salir del dormitorio, tomar el pasillo, dirigirse a la puerta de la vivienda y brotar al mundo exterior, a la calle, como un resucitado. Afuera su mundo permanecería intacto todavía (en el caso de que su padre no hubiera muerto). En su cuenta corriente estaría disponible la indemnización por el despido, habría empezado a cobrar el subsidio del paro, habrían sido satisfechos los recibos de la luz, del gas, de los plazos del televisor y del coche.

Imaginó el coche, aparcado en la esquina más

cercana a su apartamento, acumulando polvo. Nunca lo había utilizado demasiado, y apenas nada desde el despido, lo tenía por tener y lo cambiaba de sitio con frecuencia para que no pareciera abandonado; en ocasiones, se metía con él en la carretera, en cualquier carretera, para recargar la batería.

Tras la visión del coche, se sucedió la de su apartamento vacío, cuya hipoteca había terminado de pagar el año anterior. Se trataba de una estancia de tres piezas (salón con cocina incorporada, dormitorio y cuarto de baño), muy cerca del metro de Usera, un barrio donde se concentraba gran parte de la población china residente en Madrid. Lo había comprado a buen precio porque era antiguo y necesitaba una reforma total de la que él mismo se había hecho cargo. Fin de semana a fin de semana, había levantado los suelos y picado los tabiques, había cambiado las tuberías, empapelado o pintado las paredes, había barnizado las puertas y renovado la instalación eléctrica, así como los muebles del baño y de la cocina... Y aun cuando dio por terminada la obra, continuó añadiendo detalles que lo revalorizaron. En cierta ocasión lo puso a la venta por curiosidad, no porque tuviera la intención de desprenderse de él, y llegaron a ofrecerle casi el triple de lo que había pagado.

Vio toda aquella vida que estaba aún a tiempo de recuperar, pero le pareció ajena. Podía apropiarse de ella sin dificultades, pues disponía de la documentación necesaria, pero no se veía allí pese al instante de pánico que acababa de padecer aquí.

—¿Sigues ahí? —escribió la mujer.

—Sí —respondió él.

—Yo estoy en el trabajo —añadió ella—. Esta mañana, después de dejar a mi hija en el instituto, escuché en la radio del coche lo del Mayordomo Fantasma y me di cuenta enseguida de que eras tú. No podía ser otro. ¿Por qué te has dado a conocer de ese modo?

—No sé —escribió Damián—, me aburro.

—¿Y por qué eres el único espíritu que se manifiesta en la Red?

—Porque soy un pionero —tecleó con la sospecha de que estaba diciendo una de esas tonterías digna del programa de O'Kane y que la mujer pasó por alto.

—Dime una cosa, ¿la llegada del armario de mis abuelos y la tuya fue una coincidencia?

—...

—¿Fue una coincidencia?

—Prefiero no manifestarme.

—¿Desde qué ordenador escribes?

—No necesito ningún ordenador para hacerlo. Y ahora tengo que irme.

—¿Podremos volver a comunicarnos por este medio?

—Sí, mañana a esta hora entraré en el foro.

—Solo una cosa más.

—¿...?

—No hagas la cama de mi hija, la tengo que deshacer deprisa y corriendo antes de que entre ella en la habitación, porque llevo años intentando que se ocupe de sus cosas. Me la acostumbras mal.

—De acuerdo.

Damián cortó la comunicación y tomó aire. De haber seguido dos minutos más, se habría derrumbado. Sudaba y jadeaba como si hubiera realizado un esfuerzo físico excesivo. Tras recuperar la respiración, se levantó de la silla con el ánimo dudoso de un convaleciente, fue al dormitorio principal, se desnudó y se metió en la cama del matrimonio, ocupando la parte en la que dormía la mujer. Las sábanas ya se habían enfriado, pero conservaban el olor característico de las cremas que solía aplicarse Lucía por la noche y cuyos tarros permanecían ordenados en un pequeño armario del cuarto de baño. Con los ojos cerrados, intentó reproducir el breve diálogo que había mantenido con ella.

Luego se levantó. Desnudo y flaco, fue hasta la habitación de invitados en cuyo armario guardaba Lucía su ropa interior. Hasta entonces, había respetado esos espacios, apenas tocaba sus bragas y sujetadores, solo lo necesario para proceder a su lavado y planchado, guardando respecto a estas prendas una distancia emocional semejante a la que había venido guardando con el mundo. Esa distancia estaba rota porque algo se había roto también dentro de él.

—¿Y qué hizo? —oyó preguntar a Sergio O'Kane, que aprovechó estos momentos de confusión para colarse en su vida.

—Regresé a la cama del dormitorio principal con un juego de lencería un poco desgastado —respondió.

—¿De qué color?

—De color... tabaco, bueno, de color carne, creo.

—¿Para masturbarse? —preguntó O'Kane.

Las risas del público presente en el plató sacaron a Damián de la ensoñación y le hicieron sentirse sucio. ¿Cómo podía haber acudido durante tanto tiempo a aquel programa tan grosero?, se preguntó ya entre las sábanas. Y aunque su idea había sido, en efecto, la de masturbarse, renunció a ello, pero siguió abrazado a las prendas íntimas de la mujer, manteniendo, ya fuera del plató, el siguiente diálogo con O'Kane.

—Olvídame —le tuteó con agresividad—, las entrevistas contigo eran imaginarias, tú eres imaginario.

—¿Acaso te crees más real ahora que cuando acudías a mi programa?

—Sí —respondió.

—¿Eres un fantasma real?

—Exacto, eso soy: un fantasma real.

—Pero los fantasmas reales no existen.

—Tú eres el que no existe.

—¿Por qué hablas conmigo entonces?

—Por costumbre. Vete.

—Ven por lo menos un día a la semana a mi programa —insistió O'Kane, ahora en tono de súplica.

—No, no con ese público, no con esa audiencia barata, yo he cambiado, tú no.

La conversación con O'Kane, sumada a las emociones anteriores, lo fueron agotando hasta el punto de quedarse dormido en aquella cama que no era la suya, sobre la huella del cuerpo de una mujer que no era china, rodeado de los ruidos y los silencios con los que había ido dando a luz una identidad nueva.

4

—¿Tú comes? —le preguntó la mujer al día siguiente, cuando volvieron a encontrarse en la zona privada del foro.

¿Se trataba de una pregunta trampa? Él comía, cada vez menos, pero comía, y Lucía, si era observadora, tenía que haberlo notado. ¿Pero comían los fantasmas?

—¿Tú sabes —respondió Damián tras unos segundos de angustia, recordando alguna de sus lecturas esotéricas— qué es lo que más echa de menos un fantasma?

—El cuerpo —dijo la mujer.

—El cuerpo, sí. El éter está lleno de espíritus buscando desesperadamente cuerpos en los que introducirse. Por eso, porque tenemos una nostalgia pavorosa del cuerpo, jugamos a comer y a ducharnos y hasta a cortarnos las uñas de las manos y de los pies. No podemos dejar restos de las uñas de las que carecemos, pero sí podemos hacer desaparecer la comida de la que fingimos alimentarnos.

—¡Ya lo había notado! —escribió ella entre signos de exclamación que Damián, más que leer, volvió a escuchar. En realidad, vio salir cada palabra de la boca de la mujer, cuyo rostro se había aprendido hasta el mínimo detalle estudiando minuciosamente sus fotografías.

Era verdad, al menos lo aseguraban los libros y los artículos de internet: la ausencia de cuerpo enloquecía a los fantasmas como la falta de heroína a los adictos. El cuerpo creaba una dependencia más fuerte que la de cualquier otra droga. Damián Lobo, en cambio, estaba desprendiéndose de él sin echarlo de menos.

Ese «¡ya lo había notado!» exclamativo volvió a sonar como si la mujer se lo dijera al oído con intención seductora. Después de unos segundos de silencio, Lucía añadió:

—¿Sabes?, al principio, cuando comencé a notar tu presencia, temí haber enloquecido. Creía que una parte de mí hacía las camas, lavaba los cacharros y ponía la lavadora para que la otra pudiera creer en la existencia de un fantasma. Y es que no puedes imaginarte lo que me trastornó el descubrimiento del armario en el mercadillo.

—¿Por qué? ¿Qué ocurrió en ese armario?

Apenas comenzada la respuesta de la mujer, Damián Lobo extrañó la presencia de Sergio O'Kane, pues no había hallado un sustituto a través del cual narrarse y había instantes en los que lo necesitaba con desesperación. Este era uno de ellos. Como el que toma decisiones al borde del precipicio, a punto de desprenderse ya la rama a la que permanece aferrado, imaginó que le entrevistaba Iñaki Gabilondo en un plató más sobrio y con una audiencia menos numerosa, pero más selecta que la de O'Kane.

—¿Qué le contó la mujer acerca del armario? —preguntó a Damián el prestigioso periodista.

—Me contó que dentro de ese armario, que pertenecía a la casa de sus abuelos, agricultores y ganaderos de un pueblo de Santander, jugaba de pequeña con su hermano, llamado Jorge. Sus padres los habían enviado con los abuelos porque la madre comenzó a sufrir unas fiebres de origen desconocido que la mantuvieron postrada cinco años. Eran mellizos, aunque apenas se parecían porque procedían de diferentes óvulos. Su hermano, de hecho, había nacido con una tara, pues le faltaba el dedo índice de la mano derecha. El abuelo de Lucía le decía de broma que ese dedo se lo había comido ella cuando los dos estaban en el vientre de la madre. Dentro del armario se desnudaban y jugaban a que continuaban en el útero materno. En ese juego, era él quien se comía un dedo de ella. A veces, también a que cada uno era el otro.

—¿Qué más? —preguntó Gabilondo cuando,

al llegar a este punto, el entrevistado se detuvo con expresión reflexiva.

—Ah —dijo Damián volviendo en sí—, el hermano murió a los siete años, de tétanos, se hizo en el establo una herida a la que los abuelos no prestaron atención.

—¿Y? —insistió Gabilondo.

—Bueno, ella siguió jugando con el armario, dentro y fuera de él. Abría y cerraba sin parar las puertas esperando encontrar a su hermano detrás de los vestidos de su abuela y de las chaquetas de su abuelo.

—Los viejos armarios y la infancia —apuntó el periodista, que ya no era Iñaki Gabilondo, sino Sergio O'Kane.

Había regresado en unos instantes a O'Kane como en las fantasías sexuales, que intentaba renovar, regresaba indefectiblemente al repertorio chino de toda la vida, escaso y manoseado hasta el agotamiento. Pero Lucía escribía sobre su relación con el armario a tal velocidad que Damián no tuvo tiempo para evocar de nuevo a Gabilondo y aceptó, resignado, que le entrevistara O'Kane.

—Los viejos armarios y la infancia —repitió el periodista de ojos amarillos viendo dudar a Damián Lobo.

—Sí —respondió—. Pero la relación con el mueble produjo otro hecho trágico.

—Nos tiene usted en ascuas —añadió O'Kane abriendo los brazos para abarcar al público del plató, que contenía el aliento a la espera de las nuevas revelaciones.

—El caso es —continuó Damián— que a los abuelos de Lucía les preocupaba mucho que la niña jugara tanto con las puertas del mueble por miedo a que se pillara los dedos. «¡Cuidado con los dedos!» era la frase que más escuchaba mientras permanecía en el dormitorio de los ancianos. La frase provenía indistintamente de la cocina, del comedor, del pasillo, a veces del mismo dormitorio. ¡Cuidado con los dedos! Aquella obsesión por los dedos penetró en la cabeza de la niña de tal modo que un día, mientras los viejos dormitaban delante del televisor, se dirigió a la habitación del matrimonio, se colocó delante del cuerpo central del armario y, mirando a los ojos a la niña del otro lado, abrió la puerta con la mano izquierda, introdujo el índice de la derecha en la ranura que apareció en el lado de las bisagras y volvió a cerrarla con una determinación insólita. Dice que oyó cómo su dedo crujía bajo la presión, y que no le dolía, solo se hacía notar, como cuando te hurgan en un miembro anestesiado. Luego, con un retraso inexplicable, llegó de súbito el dolor. Entonces, Lucía gritó y se desmayó y cuando recuperó el sentido tenía la mano vendada, y al poco, para que no se asustara cuando le hicieran las curas, le revelaron que había perdido el dedo índice. «Este», dijo su abuela mostrando el suyo.

Tanto el público como O'Kane contenían la respiración. La audiencia, pensó Damián, debía de estar subiendo como la espuma. Pero Lucía continuaba contando sin reposo su historia y no había tiempo para los silencios teatrales que tan bien solía administrar O'Kane. De modo que Damián siguió narrando lo que leía en la pantalla del ordenador:

—Dice Lucía que la abuela decidió desprenderse del armario, como cuando se sacrifica a un perro que ha mordido a alguien de la familia, y el mueble fue trasladado a una dependencia exterior a la casa en la que criaban gallinas y conejos. Para que no volviera a morder, le sacaron las puertas, que envolvieron en papel de embalar antes de abandonarlas en un rincón de la estancia, y protegieron el cuerpo del armario con cartones que no duraron mucho, pues los animales no tardaron en tomar posesión del mueble, donde ponían sus huevos, incubaban a los polluelos y se recogían en su interior los días más fríos del invierno.

—¿Y? —apremió O'Kane ante el silencio súbito de Lobo.

—Dice Lucía que ahora se colocaba delante del armario y, en vez de verse a sí misma, pues ya no había espejo, veía un hueco gigantesco, como si el mueble se hubiera tragado su reflejo. No fue lo único que se tragó. Desaparecían las cosas dentro de él: los huevos de las gallinas, por ejemplo, algunos conejos, y hasta un pollo al que Lucía había puesto nombre y que la seguía a todas partes.

—¿Todo lo que desaparecía iba a la mesa? —preguntó O'Kane.

—Supongo que sí, que se lo comían. Dice Lucía que su abuelo, para disimular aquellas ausencias, jugaba a meter en el armario cosas que al día siguiente no estaban.

—¿Por ejemplo? —preguntó O'Kane.

—Un muñeco de trapo, muy viejo, al que llamaba Jorge, y con el que la niña, para preocupación de sus abuelos, hablaba como si se tratara del hermano muerto. Aceptó abandonarlo cuando se lo tragó el armario. Pero el abuelo le decía que todo aquello que desaparecía en las profundidades del mueble regresaría un día de allá adonde hubiera ido a parar. La niña creció con esa idea fantástica, de ahí su agitación cuando encontró el armario en el mercadillo.

Narrada apresuradamente la historia del armario, Lucía escribió que tenía que cerrar la sesión por razones de trabajo. Antes de despedirse, comunicó al Mayordomo Fantasma que al día siguiente viajaría fuera de Madrid, al pueblo de Santander, donde vivía su madre, que había caído enferma, y que se quedaría allí unos días. Se llevaba a María, la hija, pues le daba miedo dejarla con el padre, que pasaba muchas horas en la tienda y no podía ocuparse debidamente de ella. Añadió que María tenía problemas con la alimentación y que era preciso controlarla de cerca. Pidió al Mayordomo Fantasma que durante los días que ella permaneciera fuera no llevara a cabo ninguna tarea doméstica, para no levantar sospechas en su marido.

—¿No nos podremos comunicar? —preguntó Damián.

—No —respondió Lucía—, en la casa de mi madre no hay internet y el pueblo apenas tiene cobertura.

—Empezaban ustedes a tener una relación casi adúltera —apuntó Sergio O'Kane para regocijo de la audiencia.

TERCERA PARTE

1

Aunque al día siguiente se levantaron todos a la hora acostumbrada, Damián Lobo percibió desde su cueva la agitación que precede a los viajes. La puerta central del armario de madera, por la que Lucía accedía a su ropa, permaneció abierta mientras preparaba el equipaje, de modo que las manifestaciones sonoras del mundo exterior no hallaban, para llegar a Damián, otra resistencia que la del tabique de contrachapado, al que mantuvo pegadas, de forma alternativa, las dos orejas. Según contó a Iñaki Gabilondo, al que había obligado a regresar, podía escuchar el ligero sonido de las perchas al ser descolgadas por las manos de Lucía.

—Un ruido muy tenue, supongo —apuntó el periodista.

—Imagínese: el producido por el roce del gancho de la percha contra la barra metálica.

—Se diría que estaba usted adquiriendo habilidades de ciego.

—Qué remedio. Lamenté no haber hecho en el contrachapado un pequeño agujero para aprovechar una ocasión como esta para ver a Lucía. Aún no conocía su rostro, excepto por las fotos.

Iñaki Gabilondo le entrevistaba para Canal+, el preferido de su padre. Al tratarse de un canal de pago, no gozaba de las audiencias del programa de O'Kane, pero su público era más selecto. El plató, sobrio y sin invitados, se componía de una mesa y dos sillas colocadas sobre un fondo oscuro.

—¿Conoce a Sergio O'Kane? —preguntó Damián a Gabilondo.

—¿Sergio O'Kane? Pues la verdad, no. ¿Debería conocerle?

—No sé, quizá no, da igual. Era el showman de televisión que me hacía las entrevistas hasta ahora, pero lo he despedido porque resultaba vulgar. Estoy entrando en una etapa de mi vida en la que prefiero el prestigio a la popularidad.

—Ya —asintió Gabilondo con una neutralidad evasiva.

—¿A usted qué le parece la televisión basura? —preguntó ahora Damián.

—Cada espacio tiene su público.

—¿Pero qué piensa de la televisión basura?

—Lo que pienso es que aquí las preguntas las hago yo —concluyó el periodista imponiendo su autoridad.

—No era mi intención molestarle.

—No me molesta, pero las entrevistas tienen su ritmo y estábamos empezando a divagar. Y bien, habíamos quedado en que usted continuaba allí, en el hueco del armario empotrado, atento al ajetreo familiar provocado por el viaje que se disponían a emprender Lucía, la mujer de la casa, y su hija..., ¿cómo dijo que era el nombre de la adolescente?

—María.

—María. ¿Hubo algo especial, aparte de estos preparativos?

—Hubo que yo noté en Fede, el marido, algo que no percibieron ni su mujer ni su hija.

—¿Qué fue?

—Que se alegraba de quedarse solo. No es que él lo demostrara. Al contrario, todas sus manifestaciones, las que llegaban a mi escondite al menos, indicaban lo contrario. Le decía a su mujer que las iba a echar de menos a ella y a la niña y que, si no fuera por la tienda, las acompañaría él también, que estaba deseando hacerlo, todo esto en un tono quejumbroso que sonaba a falso. Era mentira, y ahí es donde percibí que yo tenía un oído especial para captar lo oculto.

—¿Y ella qué decía?

—Ella le contestaba con una corrección un poco estudiada, una corrección que no era normal tampoco para dirigirse a un marido. Como si se autocensurara.

—¿A qué lo atribuye?

—A que ya era consciente de que Mayordomo Fantasma lo escuchaba todo. Tenía pruebas de que mi presencia en la casa era cierta y guardaba las formas, como para transmitirme la idea de que su sensibilidad no coincidía con la de su marido. Quizá, pensé, tenía miedo de que yo la juzgara por las características, un poco groseras, del hombre con el que se había casado.

—¿Eso es un modo de decir que le prefería a usted?

—Bueno, no sé, quizá, algo así.

Cuando la familia abandonó la vivienda, Damián salió de su escondite, desayunó, atendió a su aseo personal y vagabundeó, inquieto, por las habitaciones. No tenía nada que hacer, puesto que Lucía le había pedido que durante su ausencia no realizara las tareas de la casa. Hasta su regreso, estaba condenado a una inactividad forzosa que dejó una vía libre para que su cabeza se llenara de presentimientos. Gabilondo no saciaba sus ansias de gloria. Acostumbrado como estaba a las grandes audiencias, aquellas entrevistas concedidas a un canal minoritario le proporcionaban una insatisfacción profunda.

¿Por qué no era capaz de establecer monólogos internos, como suponía que hacía el resto de las personas? ¿Por qué había necesitado desde siempre a un intermediario para comunicarse consigo mismo? En ese instante, y sin necesidad de que él lo reclamara, Gabilondo se manifestó para preguntarle si aquella vieja costumbre de hablarse a sí mismo a través de otro constituía una forma de despersonalización.

Damián meditó unos segundos.

—¿Ha dicho *despersonalización*?

—Sí, me parecía que...

—Es que esa palabra no se me habría ocurrido a mí. Pero si no se me habría ocurrido a mí, significa que usted es el Gabilondo real que de algún modo ha logrado meterse en mi cabeza.

—Claro que soy el Gabilondo real, qué pensaba. Fue usted el que me reclamó.

—Sí, porque mi padre dice que es una garantía de seriedad y que aborda todos los temas con un rigor que ya no se encuentra en ningún sitio.

—Por lo que sea, pero me reclamó.

—¿Y está usted en otras cabezas?

—En menos que cuando hacía radio, pero siguen siendo más de las que puedo atender.

Damián Lobo, que en ese momento se encontraba en la cocina de la vivienda, dando vueltas alrededor de la mesa, tomó asiento, abatido, en una de las sillas.

—Todo esto —le dijo al periodista— era muy sencillo cuando empezó.

—¿Y cuándo empezó?

—No empezó, fue siempre así, desde que tengo memoria. Me recuerdo yendo o viniendo del colegio contándole a alguien inventado lo que había soñado esa noche, o lo que me había ocurrido en clase. A veces elegía para estas confidencias la imagen de una persona real, pero lo más común es que no fuera nadie.

—¿Una especie de amigo invisible? —preguntó Gabilondo.

—Algo así, pero un amigo invisible pasivo, cómo le diría, un mero receptor. ¿Nos están grabando ahora?

—Supongo que sí, yo siempre estoy grabando.

—Bien, qué importa. Luego, ya de mayor, fui poco a poco construyendo un personaje.

—¿El tal Sergio O'Kane?

—Sergio O'Kane, sí. El problema es que cuando ya estaba completamente construido comenzó a tener iniciativas propias. Hacía y decía cosas que no pasaban previamente por mi cabeza.

—¿Por ejemplo?

—En cierta ocasión me indujo sutilmente a que criticara el capitalismo en su programa, con el plató a rebosar y la audiencia rompiéndose por las costuras. El capitalismo sin alma, dijo él. Pero yo soy apolítico, como los futbolistas.

—¿Y cómo salió del paso?

—Con una frase ambigua que le había escuchado a Cristiano Ronaldo.

—Ya.

—Desde entonces, negociar con O'Kane me dejaba agotado.

—¿Igual que negociar con voces interiores?

—¿Qué quiere decir?

—Un día, en la radio, entrevisté a un esquizofrénico que decía lo mismo: que media hora de discusión con las voces le dejaba hecho polvo porque le ordenaban hacer cosas que estaban en contra de sus principios.

—¿Quién ha hablado de esquizofrenia? —intervino Damián, evidentemente molesto.

—Le contaba una experiencia radiofónica.

—Pues lleve cuidado conmigo, porque por muy Gabilondo que sea, puedo expulsarlo de mi vida igual que he expulsado a O'Kane.

—No soporto impertinencias de nadie —dijo Gabilondo desapareciendo de su cabeza.

Damián Lobo fue al ordenador y buscó en Google el término *despersonalización*. Consistía, según la Wikipedia, en una percepción extraña de uno mismo. Como si lo hubieran separado de su vida o de su cuerpo. Se producía por falta de sueño, consumo de drogas o estados prolongados de ansiedad. Recibía también el nombre de *trastorno disociativo* y bajo su influencia se producía a veces un sentimiento de desrealización del mundo.

Damián no se identificó con tales síntomas, por lo que salió de la Wikipedia y dio un repaso a los foros especializados en fantasmas. La popularidad del Mayordomo Fantasma crecía sin parar. Era ya raro el foro en el que no se hablaba de él. Se había convertido en una estrella a la que los internautas lanzaban preguntas de todo tipo. Él dosificaba mucho sus intervenciones, procurando que tuvieran el tono enigmático que la gente esperaba de un espíritu. Así, a la pregunta de si desde la muerte se relativizaban las preocupaciones de la vida, respondió:

—El éxito de la Torre Eiffel es sorprendente.

La frase produjo enseguida un alud de interpretaciones que Mayordomo Fantasma leyó desde el ordenador del dormitorio de María. Le gustaba aquel tipo de fama en la que el famoso permanecía ausente. Era muy distinta de la que proporcionaban los platós de televisión de las cadenas generalistas, donde uno se exponía, como los antiguos gladiadores, ante un público que condenaba o indultaba, alternativamente, a golpe de emociones inmediatas, perecederas.

Se disponía a comentarle este aspecto a Iñaki Gabilondo, pero no halló el camino mental para entrar en su plató. La situación parecía haberse invertido: no era él quien acudía al programa, sino el programa el que acudía a él. Permaneció atento unos segundos, reclamando la presencia del periodista, pero este tardó en manifestarse y cuando apareció lo hizo por propia iniciativa, no porque hubiera sido solicitado. Algo raro está ocurriendo, pensó.

—¿Qué es lo raro? —preguntó Gabilondo, que había leído su pensamiento.

—Nada, estaba viendo cómo aumentaba mi fama en internet.

—También fuera de internet. Se nota que apenas ve usted la televisión o escucha la radio, donde no dejan de hablar del Mayordomo Fantasma. Por cierto, ¿qué es eso de que el éxito de la Torre Eiffel es sorprendente?

—Se me ha ocurrido de golpe.

—¿Se lo ha dicho una voz de su cabeza?

—No, no, ya le digo que me ha venido así, por las buenas. No oigo voces.

—Bueno, la mía sí.

2

Mayordomo Fantasma permaneció atento todo el día al regreso de Fede, el marido de Lucía. Temía que al encontrarse solo modificara sus rutinas obligándole a alterar las suyas. Pero oyó entrar al coche en el garaje a la hora de siempre y corrió a ocupar su guarida, atento a las manifestaciones del exterior. Fede llegó acompañado de una mujer de voz aguda que se reía mucho. Tras deambular con ella por la casa, como si se la estuviera enseñando, llegaron al dormitorio, donde, según cabía deducir de lo escuchado, el hombre intentó desnudar enseguida a la mujer, a la que llamaba Paula.

—No vayas tan deprisa —le dijo esta Paula entre risas.

—¿Y eso? —preguntó Fede.

—Déjame que me acostumbre, es la primera vez que entro en tu casa.

—¿Y no te gusta más que la tienda, donde lo tenemos que hacer de pie, entre las cajas de los juguetes?

—Pero en esta cama te acuestas con tu mujer y, qué quieres que te diga, para mí es una situación incómoda.

—Eso es un lugar común. ¿Qué más da que mi mujer se acueste o deje de acostarse aquí?

—Para entenderlo, tendrías que tener un poco de sensibilidad.

—Yo tengo una sensibilidad propia, una sensibilidad que me he construido yo. No me interesa la sensibilidad convencional, que es una cosa barata, de todo a cien, una sensibilidad de débiles mentales.

—¿Me estás llamando débil mental, Federico?

—¿Y tú me estás llamando Federico?

—Es que no quiero llamarte Fede, como te llaman tu mujer y tu madre y el resto de las mujeres del mundo. También en eso soy muy convencional, cariño. Me gustaría hablar contigo en un idioma que no hubieras utilizado jamás con ninguna otra.

—Jalapa sela visterra mare.

—Sorni vinilo dernala puore.

Fede y la mujer se echaron a reír.

—¿Quién resistiría más tiempo de los dos hablando de este modo? —dijo ella.

—Tú —dijo él.

—¿Por qué?

—Porque te importa más el sonido de las palabras que su significado.

—Me preocupa el significado de los actos. No me gusta, por ejemplo, acostarme en la misma cama en la que te acuestas con tu mujer.

—Otra vez con eso.

—Es una preocupación de débil mental, pero a ti te gustan las débiles mentales, ¿verdad, Federico? Están siempre salidas, ya lo sabes, y puedes hacer con ellas lo que quieras.

—Me encanta cuando te haces la idiota.

—A todos los hombres les encantan las idiotas.

—Ya ves, en eso soy muy convencional. Enséñame el culo, anda.

—Dime primero en qué parte de la cama duerme tu mujer.

—En esta.

—Pues en esta te colocarás tú. Así será como hacerlo con tu mujer y contigo a la vez.

—Me estás poniendo a cien.

—Vondrila mixta culosa repe.

—Vamos a imaginar que estamos en un hotel, Paulita. Aquí tienes de todo.

—¿Y si aparece ella?

—¿Cómo va a aparecer si está a quinientos quilómetros?

—Hay gente que puede estar en dos sitios a la vez. De hecho, noto su presencia. Pero no te apures, que eso me excita. ¿Me dijiste que había ido a ver a su madre enferma?

—Sí.

—¿Te imaginas que su madre se muriera mientras tú y yo estamos aquí, en su cama, follando como locos, que expirara en el mismo instante en el que nos corremos?

Fede soltó una carcajada que aumentó la temperatura sexual, a la que siguió el silencio de los labios al encontrarse y el de las lenguas al reconocerse. Mayordomo Fantasma dedujo que la llamada Paula era la empleada de la juguetería, a la que supuso más joven que Lucía y, por supuesto, que Fede.

No era difícil imaginar a la pareja: él atacando y ella defendiéndose retóricamente de sus embestidas. De vez en cuando, por los ruidos que llegaban a la guarida de Damián, debían de caer enredados en la cama, de la que volvían a levantarse para continuar el juego amoroso. Pese a la pérdida de vitalidad provocada por su deficiente alimentación, Mayordomo Fantasma se excitó un poco, aunque no tanto como para que le apeteciera masturbarse.

—Me excité con aquellos juegos —dijo Damián como si estuviera en un plató de televisión, pero lo cierto es que no había plató ni entrevistador ni amigo imaginario, nada, hablaba al vacío y siguió haciéndolo durante un rato hasta que se manifestó dentro de su cabeza, de manera gratuita, Iñaki Gabilondo.

—¡A buenas horas! —protestó Mayordomo.

—¿Qué ha ocurrido? —preguntó el periodista.

—Fede ha llegado a su casa con una mujer que creo que es la empleada de la juguetería, y están follando como locos.

—Vaya, no imaginaba que fuera usted un mirón.

—No miro nada, solo escucho.

—Escuchar es un modo de mirar.

—Escuche los gemidos.

—No estoy dispuesto a hablar de estas cosas en mi programa —protestó Gabilondo.

—Eso es porque detesta la televisión basura, como mi padre. Con Sergio O'Kane, esta escena sería un *trending topic* mundial.

—Pues acuda usted a Sergio O'Kane —concluyó Gabilondo, muy ofendido, desapareciendo de nuevo de su cabeza.

Como Sergio O'Kane, pese a sus reclamos, tampoco apareciera, Mayordomo Fantasma sufrió un ataque de ansiedad que combatió relatando el acontecimiento venéreo al aire, casi con la técnica verbal de las retransmisiones futbolísticas. Descubrió que era una forma de aturdirse mentalmente y de agotarse físicamente. En efecto, cuando la pareja explotó en un orgasmo escandaloso y simultáneo, cuyas ondas llegaron a la cueva del fantasma como si, más que hacer el amor, se estuvieran matando, todos sus músculos se relajaron como si también él acabara de eyacular.

Dado que los amantes, después de unos minutos de silencio, comenzaran a susurrarse las frases, más que a decírselas, Mayordomo Fantasma se arriesgó a abrir la puerta practicada en la pared trasera del mueble para pasar del armario empotrado al de madera a fin de escuchar lo que decían.

—¿Qué ha sido eso? —preguntó Fede al oír un ruido procedente del mueble (la cabeza del fantasma había tropezado con una percha vacía que estuvo a punto de caerse).

—Yo no he oído nada —dijo la llamada Paula.

—¿Seguro?

—Seguro. ¿Dónde?

—Ahí en el armario.

—Será un fantasma. O un detective que te ha puesto tu mujer.

—Un detective, no, no se le ocurriría, pero lo del fantasma no lo descarto. Lucía cree en fantasmas. Voy a mirar.

—Deja, no te levantes ahora, no seas idiota. ¿Está o no está a quinientos quilómetros de aquí?

Mayordomo Fantasma permaneció con la respiración suspendida, sin atreverse a volver al hueco del armario empotrado por miedo a generar más ruido. Finalmente, Fede no se levantó y los amantes siguieron hablando de Lucía en tono de burla.

—¿Ves ese armario horrible? —preguntó el hombre.

—Sí, ¿lo habéis sacado de una película de terror? Parece una construcción fúnebre.

—Lo descubrió Lucía en un mercadillo y resultó que había pertenecido a sus abuelos, que vivían en un pueblo de Santander y con los que ella pasó parte de la infancia. Lo distinguió porque tiene en el lateral derecho su nombre con esas señales que se hacen para seguir el crecimiento de los niños. Luego te lo enseño con detalle.

—Vaya casualidad.

—El caso es que lo compró sin consultarme ni nada, por miedo a perderlo, y se empeñó en colocarlo ahí, tapando justo el armario empotrado que había en la habitación, que era enorme. De modo que tenemos ahí detrás una especie de cárcel del pueblo. Si algún día necesitas secuestrar a alguien, ya sabes.

—Esta mujer tuya está un poco loca, ¿no?

—Tiene sus cosas.

—¿No me dijiste también que le faltaba un dedo?

—Sí, el índice de la mano derecha. Precisamente lo perdió al pillárselo con la puerta central del armario.

—Me excita la ausencia de ese dedo índice, me excita el armario fúnebre, me excita que estés acostado sobre la huella del cuerpo de tu mujer, me excita que te llames Federico...

—Servila valium pirtera engaña.

—Ah, no me hables así que me matas. Anda, tócame aquí.

—¿Con qué?

—Con el dedo que le falta a tu mujer.

Mayordomo Fantasma aprovechó que los amantes volvieron a enredarse, con mayor furia aún que en la acometida anterior, para regresar desde el armario de madera al empotrado, adonde llegó exhausto. Tanteando las paredes, se acostó sobre la manta, adoptando enseguida una postura fetal, cerró los ojos y pensó en la vida, repleta de rarezas como aquella a la que acababa de asistir y digna de formar parte de un libro titulado *Vida de los insectos*. No habría sabido decir por qué, pero le pareció que Fede (o Federico) y la llamada Paula se habían comportado como insectos más que como mamíferos. Al pensar en la mano derecha de Lucía y en la ausencia de ese dedo índice, sintió una ternura sin límites por ella, por la mano, e imaginó que la llevaba hasta su pecho para proteger el resto de los dedos. De este modo se durmió aquella noche.

3

La radio despertador se puso en marcha a la hora de siempre y con idéntica carga de angustia (una pareja joven había fallecido en Alcorcón debido al funcionamiento deficiente de un calentador de gas). La noticia afectó más al fantasma que a los amantes, obsesionados, desde que abrieran los ojos, por explorar cada uno la anatomía del otro, como si les hubieran cambiado los cuerpos durante la noche y necesitaran actualizar sus conocimientos. Se exploraron durante veinte minutos combinando el placer o el sufrimiento que denotaban sus estertores, quejas y alaridos con el agobio que les proporcionaba, especialmente a Fede, llegar tarde a la tienda.

Ya fuera de la cama, aunque todavía exhausta, la llamada Paula abrió el armario de tres cuerpos con expresiones de asombro ante la magnitud de su hondura. Algunas de estas expresiones, pensó

Damián, debió de pronunciarlas con la cabeza dentro del mueble por la forma en que las palabras de la mujer rebotaban entre las paredes de madera provocando un efecto como de catedral. Tras cerrar la puerta le comentó a gritos a Fede que el armario olía mal:

—A mierda antigua de gallina —respondió Fede, también a voces desde el cuarto de baño—. Durante una época lo utilizaron como gallinero.

La mujer hizo un comentario, que Damián escuchó a medias, sobre la salud mental de la esposa de su amante, y enseguida los ruidos del exterior empezaron a corresponder a los de una pareja cualquiera que se prepara para hacer frente a su jornada de trabajo. Al objeto de recuperar el retraso con el que habían salido de la cama, prescindieron del desayuno, de modo que el ruido de la puerta de la vivienda que daba al garaje sonó más o menos a la misma hora que se escuchaba cuando era la familia verdadera la que abandonaba la casa.

Mayordomo Fantasma esperó un poco, según su costumbre, por si regresaban a por algo olvidado, y luego abandonó el hueco del armario empotrado, atravesó el de tres cuerpos y apareció en el dormitorio con movimientos ligeros y algo ondulantes, como si estuviera hecho de humo. El aspecto del dormitorio era desastroso. La colcha de la cama se encontraba en el suelo, arrugada y pisoteada, y de las sábanas revueltas llegaba ese olor a cloro o a lejía, característico del semen, que a Damián le pareció insoportable. El desastre continuaba en el cuarto de baño, en cuyo lavabo descubrió varios pelos largos, de tono cobrizo, que debían de corresponder a la llamada Paula, y restos de pasta de dientes que salpicaban su superficie aquí y allá, como excrementos de un gusano pálido. Las toallas, empapadas, permanecían abandonadas encima del bidé y el último en utilizar el retrete había olvidado tirar de la cadena.

Damián lo dejó todo como estaba, para no dar señales de su presencia, y fue a asearse al cuarto de baño de María. Luego, ya en la cocina, tropezó con vasos sucios repartidos sobre la encimera, cacharros sin fregar y restos de comida que habían sacado de la nevera sin volver a guardarlos. Estaba preguntándose, abatido, si sería capaz de soportar durante mucho tiempo aquel grado de desorden, cuando descubrió que uno de los amantes había olvidado, conectado al enchufe del microondas, el cargador de un móvil de la misma marca y modelo que el suyo.

El hallazgo le sobresaltó, por la oportunidad de habilitar el teléfono cuando ya se había deshabituado del mundo exterior, aunque decidió cargar la batería y llamar a su padre o a su hermana para averiguar si alguno de los dos había muerto o habían denunciado su ausencia. Ya en algunas ocasiones había tenido la tentación de ponerse en contacto con ellos desde el teléfono fijo de la casa, pero esa llamada habría dejado un registro que se manifestaría en el recibo del teléfono y que serviría como prueba frente a una eventual demanda.

También por razones de seguridad, había evitado durante todo aquel tiempo salir al jardín: quizá había cámaras en la urbanización que recogerían su imagen, tal vez podría ser fotografiado por uno de los numerosos satélites que daban vueltas a la Tierra. Había entrado en aquella casa dentro de un armario y solo podría abandonarla de un modo semejante. ¿En un ataúd?, pensó sombríamente.

En todo caso, la idea de abandonar la casa, o de ser expulsado de ella, que le asaltaba de manera periódica, le producía una angustia sin límites, pues se sentía desligado por completo de la realidad exterior.

Recuperó su móvil, en fin, lo enchufó al cargador que habían olvidado, y tras un desayuno ligerísimo se dirigió a la habitación de María para trastear un poco con el ordenador. Comprobó con sorpresa que en los foros sobre asuntos paranormales se interpretaban sus silencios con la misma intensidad que sus palabras.

—Los silencios de Mayordomo Fantasma —había escrito un internauta— están llenos de voces.

—Todos los vacíos están llenos —escribió él, por decir algo, provocando un alud de comentarios.

Enseguida dejó el foro, al que había acudido con la esperanza de que Lucía hubiera hallado la manera de entrar en la Red, y comenzó a navegar por páginas relacionadas con la anorexia y la menstruación, cuando de súbito, sin dejar de estar frente a la pantalla, se encontró también en el plató de Iñaki Gabilondo.

—¿Qué hace usted? —preguntó el periodista.

—Ya ve —dijo Damián—, tratando de entender los problemas de María, la adolescente de esta casa, a la que no le ha venido todavía la regla. Creo que el asunto está relacionado con los trastornos de alimentación que sufre. Si he de hacerme cargo de ella, tengo que comprender sus dificultades.

—¿Acaso la va a adoptar? —preguntó Iñaki.

—Bueno, en cierto modo ya he adoptado a toda la familia.

Gabilondo cambió entonces bruscamente de tema:

—¿Sabe —dijo— que nuestros últimos encuentros se han emitido ya con gran éxito?

—¿Tiene cifras de audiencia?

—En un canal de pago no interesa tanto la cantidad de espectadores como su calidad. Nuestros abonados, en su mayoría titulados universitarios y profesionales de alta cualificación, pertenecen a las capas más influyentes de la sociedad.

Al decir esto, Gabilondo dirigió una mirada de reconocimiento, quizá de gratitud, a la cámara.

—Hemos recibido muchas llamadas interesadas en usted —continuó—, en su existencia presente, desde luego, en las razones de su exclusión social, pero también en esa suerte de alienación, típica del capitalismo, que le ha conducido a convertirse en una estrella de la pequeña pantalla.

—¿También usted está obsesionado con el capitalismo?

—Yo soy un notario de la realidad, y su caso, para un sociólogo, constituiría un paradigma de enajenación.

—¿Alienación, enajenación?

—Son los términos que se utilizan para significar el proceso por el que bajo determinados sistemas económicos resulta casi imposible la construcción de una identidad propia.

—¿Acaso es posible construirse una identidad ajena?

—De eso precisamente hablamos, de convertirse en otro.

—¿Esto tiene que ver con la despersonalización de la que hablaba el otro día?

—En cierto modo, sí.

—Lo miré en la Wikipedia y no me sentí identificado.

—El sujeto alienado no es consciente de su otredad. De ahí el éxito de estos sistemas políticos y económicos, cuyo principal apoyo procede precisamente de sus víctimas.

—¿Es usted comunista, Iñaki?

—No olvide que aquí las preguntas las hago yo.

—De acuerdo, y yo me ocupo de las respuestas y mi respuesta a todo lo que dice es que no respondo jamás a cuestiones políticas. Me mantengo al margen de la disputa partidaria, igual que los cocineros y los futbolistas. Tengo admiradores de izquierdas, de derechas, de centro, de todo el espectro político, y debo, por respeto a ellos, mantenerme neutral.

—Pero no le importará, dada su dimensión pública, que indaguemos un poco en su vida privada.

—Tendrá que esperar, he de revisar los mensajes del móvil, que estaba cargándose.

Sin abandonar mentalmente el plató, Damián Lobo se dirigió a la cocina, encendió el teléfono, cuya batería se había recuperado, y revisó los mensajes. Había treinta o cuarenta, todos de publicidad, excepto uno de ellos, que correspondía a una llamada perdida de su hermana.

—Estoy llamando a mi hermana —dijo al periodista— para saber cómo van las cosas por ahí fuera.

—No se apure.

Su hermana descolgó el teléfono sin dar muestras de sorpresa por el prolongado silencio de Damián.

—Te preguntarás por qué he estado tanto tiempo sin llamar —dijo él.

—Qué va —dijo la hermana—, creí que te habías ido a Alicante.

—¿Por qué a Alicante? —preguntó él.

—No sabría decirte. Pensé: este no llama. Y apareció la idea de Alicante.

Damián habló un rato y regresó al plató para comunicar a la audiencia que su familia se encontraba bien y que su padre había invertido todos sus ahorros, incluido un sustancioso plan de pensiones, en ponerle a su hermana china, en pleno barrio de Salamanca, una tienda de regalos.

—Una tienda de regalos de lujo —puntualizó—. Una especie de Canal+ en versión tienda. Dice que va muy bien.

—Pero sus padres no son chinos, ¿o sí? —preguntó Gabilondo.

—Ellos no, mi hermana.

Damián se dirigió a la cámara y explicó a los espectadores la historia de su familia: que sus padres, a los dos o tres años de casarse y como no tuvieran descendencia, adoptaron a una bebé china que ellos mismos fueron a recoger al hospicio de una localidad de aquel país lejano.

—En realidad —dijo—, y por lo que yo sé, la compraron.

—¿Qué tiempo tenía? —preguntó el periodista.

—Dos, tres meses —dijo Damián.

—¿Y por qué no adoptaron a un bebé español? —preguntó Gabilondo.

—Era una época de mucho poder adquisitivo y se había puesto de moda la solidaridad con el Tercer Mundo.

—Pero China es la segunda potencia mundial.

—Quizá en aquella época no, no sé. Estaba bien visto.

Refirió a continuación que a los dos años de haberla adoptado su madre se quedó, inesperadamente, embarazada de él.

—Dado que no estaba en sus planes tener un segundo hijo, pues la china había colmado las ansias de paternidad de la pareja, me recibieron como si el adoptado fuera yo.

—¿Le trataban mal? —preguntó Gabilondo.

—Digamos que como si me hubieran hecho un favor. Como si me hubieran sacado de un hospicio. Mi hermana china tenía una capacidad de seducción fuera de lo común, mientras que yo, por el contrario, era un niño retraído, hosco. Enseguida me sentí como si hubiera venido de fuera, de muy lejos.

—A ver, a ver, explíquenos eso un poco mejor —rogó Gabilondo.

—A veces pienso que querían más a mi hermana porque era el resultado de una inversión económica.

—Típico del capitalismo —dijo Gabilondo.

—¡Qué manía tienen ustedes con el capitalismo!

—Perdone, lo ha dicho usted. Pero continúe, por favor.

—Por aquellos años mis padres contrataron a una asistenta china para que mi hermana, decían, tuviera un espejo en el que mirarse. Les preocupaba que viviera mal su singularidad, que sus rasgos faciales fueran un obstáculo para su integración en este mundo. Sin embargo, el que se pasaba las horas en la cocina con la asistenta china y completamente identificado con ella era yo. Mi hermana se comportaba como una española normal y corriente, mientras que yo me sentía cada día más chino. Me pasaba las horas delante del espejo guiñando los ojos, para parecerme a la asistenta, que además me quería como a un hijo. Un día me confesó que yo era para ella el niño que no había tenido.

—¿Y qué era ella para usted?

—Como la madre que no había tenido también. Cuando mis padres se dieron cuenta de la profunda unión que había entre nosotros, la despidieron. Para mí fue un golpe tremendo.

—¿Y perdió completamente el contacto con ella?

—No del todo, ella se las arregló para seguir viéndome. Venía al colegio en las horas de recreo y me miraba desde la verja. Me pasaba notas que todavía conservo diciéndome lo que me quería y yo, el Día de la Madre, le hacía dibujos de dragones.

—¿Todo esto al margen de sus padres?

—Sí, nunca lo supieron.

—¿Mantiene todavía el contacto con ella?

—Hace tiempo que no hablamos, pero tengo su dirección y su teléfono móvil. Ya está jubilada, es muy mayor. Vive en una habitación, en Usera, relativamente cerca de mi casa, y a veces voy a verla.

—Tal vez podríamos invitarla un día al programa.

—Tal vez.

—Pero qué le pasa, ¿está llorando?

—Bueno, me he emocionado un poco al acordarme de ella.

—¿Cómo se llama?

—Ai, que casualmente significa *amor*.

—¿Y su hermana china?

—Desiré, que significa *deseada*.

Damián conocía el valor mediático de las lágrimas, incluso en una emisora de pago, pero las reprimió porque sabía que la audiencia de estos canales agradecía más el control de los sentimientos que su exhibición. Por eso Iñaki tampoco se había excedido al meter el dedo en la llaga.

—Si me permite —dijo Damián levantándose con idea de abandonar el plató—, tengo asuntos que atender.

—Por favor —dijo el periodista.

4

Fede y la llamada Paula volvieron ese día a media tarde y se metieron en la cama enseguida. Mientras se ejercitaban en idénticos juegos venéreos a los del día anterior, como el que repite una tabla gimnástica, Damián, recostado boca arriba en el interior de su cueva, con las manos debajo de la nuca y los ojos abiertos a la oscuridad, sintió dentro de su cabeza un fogonazo seguido de una paz interna que le proporcionó la evidencia de que todo estaba en su sitio. Se lo dijo a Gabilondo:

—Acaba de producirse un resplandor dentro de mi cabeza.

—¿No será un ictus? —preguntó con ironía el periodista.

—Un ictus, no; uno de esos rayos que durante unos segundos iluminan una estancia que se encontraba a oscuras y en la que de repente puedes ver la situación de la mesa, las sillas, el aparador, todo ello colocado de acuerdo a un orden que no es de este mundo. Así se ha iluminado mi cerebro, y he visto que cada idea, en él, ocupa por fin su lugar.

—Parece una experiencia mística —señaló Gabilondo sin abandonar el tono irónico que Damián no dio muestras de percibir.

—Llámelo como quiera. La cuestión es que acabo de averiguar, sin ningún género de dudas, que estoy en mi sitio.

—El armario empotrado, ¿ese es su sitio?

—El armario empotrado y este plató son ahora mis lugares y puedo ocuparlos a la vez al modo en que una idea puede estar de forma simultánea en dos cabezas diferentes.

—¿Se considera usted una idea?

—Desde luego, estoy más cerca de ser una idea que una persona de carne y hueso.

—¿Pero Fede y Paula siguen follando o no? —cortó el periodista.

A Damián le sorprendió la pregunta de Gabilondo, más propia del estilo de Sergio O'Kane que del suyo.

—¿También a su audiencia de pago le gusta el sexo barato? —preguntó con intención.

Gabilondo carraspeó, como pillado en falta, y en ese instante Damián descubrió en sus ojos unas ascuas de color amarillo idénticas a las que ardían en las pupilas de Sergio O'Kane, cuyo espíritu, dedujo, había invadido el cuerpo y la mente del periodista de prestigio.

—¡Ya está usted de nuevo ahí, Sergio! —protestó Damián.

—Pero bajo una apariencia formal diferente. No se apure, la forma lo es todo —respondió el showman.

Damián Lobo evaluó la situación. Le gustaba el prestigio de Gabilondo, pero echaba de menos la popularidad que le proporcionaba O'Kane. Quizá la mente de este en el cuerpo de aquel fuera la solución al dilema.

—¿Y cómo debo llamarle desde ahora —preguntó—, Sergio Gabilondo o Iñaki O'Kane?

—Llámeme Iñaki O'Kane —dijo el showman, tengo más aprecio a mi apellido que a mi nombre. Pero le preguntaba si Fede y Paula siguen follando.

Fede y Paula seguían adelante, en efecto, con su tabla gimnástica, aunque solo les quedaba un ejercicio tras el cual, pensó Damián, debieron de caer exhaustos uno al lado del otro, pues durante los siguientes minutos el silencio fue absoluto.

—El silencio absoluto —explicó Damián Lobo al showman—, percibido desde una oscuridad absoluta, es lo más parecido a la muerte.

—¿Tuvo usted la sensación de estar muerto?

—Exacto. Luego apliqué el oído al contrachapado y me pareció oír el rumor que producían los ronquidos de Fede.

—¿Y?

—Con la agilidad de un fantasma, pasé del armario empotrado al de madera, y tras comprobar que no se había producido ninguna alteración al otro lado, empujé un poco la puerta central, que chirrió levemente sin recibir ninguna clase de respuesta. Transcurridos unos segundos, asomé la cabeza y vi a los amantes, desnudos, sobre la cama, y completamente dormidos el uno junto al otro. Se habían hundido en un sueño tan profundo que me atreví a abandonar el armario para acercarme, de puntillas, a contemplar sus caras. Ella tenía un rostro exagerado en el que todos los rasgos competían por sobresalir: ojos saltones, nariz prominente, labios gruesos, quizá operados, frente muy despejada...

—¿Y el cuerpo?

—Lo mismo: pechos grandes, caderas enormes, cintura delgadísima.

—¿Muy atractiva, pues?

—Pero de un atractivo algo grosero, más de Telecinco que de Canal+.

Iñaki O'Kane debió de recibir, a través del pinganillo, un mensaje del realizador.

—No te apures —respondió el showman dirigiéndose a un punto indeterminado del espacio—, la ventaja de grabar es que al editar ponemos y quitamos lo que nos venga en gana.

Damián, entretanto, observaba los rasgos de Fede que, por contraste con los de la mujer, estaban medio difuminados, «medio borrados», se dijo a sí mismo. Todo en aquel rostro parecía embrionario: ojos incipientes, nariz incipiente, boca (entreabierta) incipiente. Tenía algo de feto flotando en el líquido protector del sueño. La ropa de ambos, diseminada por los alrededores de la cama, proporcionaba al dormitorio un aspecto de desorden que molestó al fantasma. Antes de regresar a su escondite, en un gesto irreflexivo, tomó las bragas de la mujer y se las llevó con él.

Cuando los amantes despertaron, un par de horas más tarde, Fede pidió desde el teléfono fijo de la mesilla de noche una pizza de la que dieron cuenta en la cama, acompañada de unas cervezas, mientras hacían comentarios jocosos sobre la situación:

—¿Te imaginas que nos viera tu mujer? —preguntó la llamada Paula.

—Tal como tiene la casa de limpia —respondió Fede—, esta situación le espantaría.

—¿Y qué le espantaría más, que folláramos como locos o que comiéramos pizza en la cama?

—Lo de la pizza. Ya te he dicho que es medio frígida.

—¿Cuánto tiempo lleváis sin follar?

—Buf, desde antes de la llegada del armario.

—Hablas de antes y después de la llegada del armario como los historiadores de antes y después del nacimiento de Cristo.

—Es que hubo un antes y un después. El antes no era maravilloso, pero el después fue horrible, es horrible. No la soporto más.

—¿Y por qué te casaste con ella?

—Yo qué sé. ¿Alguien lo sabe? Perdí a mis padres muy pronto y los suyos me trataban como a un hijo. Prefería estar con sus padres que con ella. Ellos me dieron el dinero para montar la tienda. Luego, el padre, que es con el que me llevaba mejor, murió, y su madre se fue a vivir a Santander, a la casa de los abuelos de Lucía, de donde procede el armario.

—Mis padres también te encantarían, son muy amorosos y están vivos los dos —dijo Paula en tono seductor, riéndose.

—Deben de estar poniendo la cama perdida —comentó Damián a Iñaki O'Kane.

—Bueno, no se apure. ¿Sabe cuánta gente se ha abonado a Canal+ desde que hemos empezado a emitir sus entrevistas?

—Ni idea.

—Veinte mil, prácticamente en cuatro días.

—¿Y cuántos se han dado de baja?

—El número de bajas se mantiene estable.

—Seguro que entre los que se han dado de baja estará mi padre.

—¿Le preocupa?

—No sé, siempre quise que me viera en Canal+, pero los hijos llegan tarde al deseo de los padres. ¿Podría usted hacerme un favor, O'Kane?

—Dígame.

—Póngase unas lentillas que le oculten las ascuas amarillas de los ojos. Es lo único que delata que no es usted Iñaki Gabilondo.

—Lo haré por usted. Y por su padre.

5

Tras dar cuenta de la pizza y las cervezas, Fede y la llamada Paula debieron de acomodarse el uno junto al otro como los amantes en las películas: ella con la cabeza en el pecho de él y las piernas de ambos entrelazadas como un conjunto de raíces. Así los imaginó Damián al comprobar que el tono de sus voces bajaba hasta resultar casi inaudible, lo que le obligó a abandonar con mil precauciones el armario empotrado para instalarse en el de madera, donde tardó su tiempo en hallar una postura que resultara al mismo tiempo cómoda y apta para volver con rapidez a su escondite si las circunstancias lo requiriesen. En el momento en el que por fin pudo pegar su oreja a la puerta del mueble, Fede le estaba contando a Paula cómo se conocieron Lucía y él.

—... en el hospital, fíjate. Habíamos coincidido allí porque los dos somos alérgicos a las picaduras de las avispas y a los dos nos habían picado. Estuvimos al borde de la muerte porque se te cierra la glotis, sabes, y no puedes respirar. Cuando me recuperé, una de las enfermeras me pidió que fuera a visitar, para darle ánimos, a una chica que había ingresado después de mí y que resultó ser Lucía.

—¿Cuántas os habían picado?

—Una a cada uno, pero si eres muy sensible a su veneno no necesitas más. A menos que te cojan a tiempo.

Hubo un silencio viscoso que duró unos segundos y que rompió Paula al preguntar en tono de broma:

—¿Entonces bastaría con que a tu mujer le picara una avispa para que se muriera?

—Bueno, quizá una avispa solo, no. Los dos tenemos siempre a mano un antídoto. ¿Pero qué estás pensando? —dijo Fede.

—Lo mismo que tú, corazón.

—No seas burra.

—Vamos a ver —insistió ella—, imagínate que puedes matar a tu mujer solo con desearlo. Que se muera mi mujer, piensas, y tu mujer se muere.

En ese instante sonó el teléfono de la mesilla de noche, al que respondió Fede. Resultó ser Lucía para preguntar cómo iban las cosas, y el hombre dijo que todo iba bien y que pensaba acostarse pronto para acudir a la juguetería más temprano, pues había comenzado a hacer un inventario. Damián iba poniendo al tanto de todo a Iñaki O'Kane, que parecía haberse adaptado sin dificultades a la severidad del plató de Canal+, donde no había un público que reaccionara ante lo que se decía.

—¿Y qué hace la llamada Paula? —preguntó el showman.

—Yo creo que ni respira —respondió Damián— para que Lucía no se dé cuenta de que Fede está con alguien.

En efecto, no se oía otra cosa que la voz del hombre, cuya neutralidad resultaba llamativa. Preguntó cómo se encontraba la madre de Lucía y qué tal estaba María, a lo que debió de recibir respuestas satisfactorias, pues enseguida buscó una excusa (tenía algo en el fuego) para despedirse. Después de colgar, soltó una expresión de alivio que fue acompañada por una risa de la llamada Paula.

—Parecías un palo —dijo la mujer—, seguro que ha notado algo.

—¿Qué dices? ¿No he estado natural?

—Todo lo natural que puede estar un tío hablando por teléfono con su mujer desde la cama de los dos y con otra tía al lado en pelotas.

—¿Y qué decías antes de matar con el deseo?

—Pues eso, que si pudieras matarla con solo desearlo, ¿lo harías?

—A ver, déjame pensar, con el deseo...

—Pero si seguro que lo has imaginado muchas veces.

—Bueno, sí, pero como un ejercicio fantástico. ¿Tú no has deseado nunca que se muriera alguien?

—Miles de veces. Pero la gente es muy cabrona, no se muere así como así.

—Así como así, no, claro, le tiene que pasar algo.

—¿Sabes de qué me estoy acordando? —preguntó Paula elevando el tono de voz.

—Tú dirás.

—Pues de que el verano pasado leí en el periódico que un hombre, creo que en un pueblo de Asturias, había muerto al trasladar al cubo exterior la bolsa de la basura que había dejado en el jardín la noche anterior. Tenía restos de comida y se había llenado de avispas que, al mover la bolsa, salieron por una raja del plástico y lo atacaron enfurecidas. Era alérgico también y no llegó vivo al hospital.

—A un alérgico le coge un enjambre y está listo.

—¿Y a una alérgica?

—¿Qué dices?

—Nada, que qué le pasaría a una alérgica.

—Pues ¿qué le va a pasar? Lo mismo.

—Pues ya está, ¿no?

—¿Ya está el qué?

—Venga, Fede, no te hagas el bobo.

—Tú no estás bien de la cabeza, Paulita.

—Mira —añadió ella riendo—, ya empieza a

haber avispas. Si quieres yo me encargo de recogerlas y, cuando tenga veinte o treinta, te las paso, las colocas en la bolsa de la basura, que dejas mal atada, y le dices a Lucía que la lleve al cubo.

—Soy yo el que saca siempre la basura.

—Pues le dices que te encuentras mal.

Tras unos segundos de silencio durante los que Damián estuvo a punto de regresar al armario empotrado, habló Fede:

—Buf —dijo—, me ha dado un ataque de angustia porque por un momento he pensado que habíamos cruzado una raya y que estábamos hablando en serio.

—Bueno —dijo ella—, muchos crímenes empiezan así, como de broma. Ahora que te he dicho lo de las avispas, ya verás cómo no se te va de la cabeza.

—No, si ya se me había ocurrido a mí también, pero mientras no hablas las cosas con nadie parece que tampoco son reales.

—Oye, no te pases, que yo lo estaba diciendo en broma. No me verás a mí recolectando avispas para acabar con tu señora. Lo que tienes que hacer es mandarla a la mierda.

—¿Y luego?

—Traspasas el local de la juguetería y montamos una franquicia.

—¿Una franquicia de qué?

—Un Starbucks. ¿Sabes cuánto les cuesta un café y a cuánto te lo venden?

—Bueno, mira, de momento vamos a recoger un poco la cocina que, en dos días que falta mi mujer, ya has visto cómo está. Y ayúdame a sacudir las sábanas, que se han llenado de migas de la pizza.

—Te ha dado un ataque de limpieza para compensar la sucia idea de acabar con tu esposa, ja, ja.

Damián percibió que abandonaban la cama e inició un gesto de huida hacia el armario empotrado, pero comprendió que no le daría tiempo sin hacer más ruido del conveniente y se quedó quieto.

—No encuentro mis bragas —dijo Paula, muy cerca del armario.

—¿Eso es otra broma? —protestó Fede.

—No, en serio, ¿qué hiciste con ellas?

—¿Que qué hice con ellas?

—Me las quitaste tú.

Hubo un silencio indicativo de que Fede estaba buscándolas.

—No me jodas —dijo—. Yo las arrojé fuera de la cama. Deberían estar por aquí.

—Pues ya verás como las encuentre tu Lucía.

—Menos mal que tiene unas iguales.

—¿Cómo que tiene unas iguales, hijo de puta, si las que se han perdido me las regalaste tú? ¿Te gusta que use la misma ropa interior que tu mujer?

Fede titubeó. Al fin dijo:

—Se las compró ella, después de que yo te las

hubiera regalado. En la tienda de lencería del centro comercial.

—¿Seguro?

—Seguro, mujer, ¿cómo piensas que iba yo a hacer una cosa así?

Mientras discutían, debían de seguir buscando las bragas, porque sus voces provenían, alternativamente, de un lado u otro de la habitación.

—Me desespera cuando las cosas se extravían así, de un modo tan absurdo —dijo Fede.

—Se extravían, dices, yo nunca habría dicho *se extravían*, habría dicho *se pierden*. ¿Por qué dices que se extravían? Extraviarse es volverse loco.

—No lo sé, joder, ahora vuelvo a estar angustiado por el asunto de las avispas y de las bragas. Además, la llamada de ella me ha dejado mal.

—Pues fíjate en mí. Fíjate en lo bien que estoy, y eso que este espejo está lleno de desconchones.

Damián imaginó que la mujer estaba ante la puerta central del armario, exhibiéndose frente al espejo. Luego escuchó unas risas, como si Fede se hubiera acercado a ella por atrás y la estuviera abrazando al tiempo que le hacía cosquillas. En efecto, al poco empezaron otra tabla gimnástica que los devolvió a la cama y, una vez más, al agotamiento. Tras el agotamiento, a juzgar por el silencio reinante, debieron de volver a dormirse. Damián aguzó el oído hasta escuchar los suaves ronquidos de él, que conocía de sobra, regresó a su escondite para recuperar las bragas y, abriendo un poco la puerta central del armario, las arrojó a la habitación.

—Creo que no debería haberlas cogido —le dijo a Iñaki O'Kane.

—¿Y por qué lo hizo?

—No sé, un impulso fetichista, supongo.

El vuelo de las bragas debió de producir en el aire una perturbación que despertó a Fede.

—¿Qué ha pasado? —dijo.

—¿Qué ha pasado de qué? —preguntó Paula despertándose también.

—No sé, ¿has dicho tú algo?

—Yo estaba tan ricamente dormida, corazón.

—Habíamos quedado en arreglar la cocina —dijo Fede.

—Bah, no seas obsesivo, mañana me levanto yo un poco antes y me ocupo. ¿Cuándo vuelve tu mujer?

—Todavía no.

Fede debía de haberse levantado de la cama porque de repente gritó:

—¡Las bragas!

—¿Qué pasa ahora con las bragas?

—Que están aquí, míralas.

—Pero si ahí habíamos mirado mil veces.

—Pues es lo que yo digo.

—Uno de los dos está haciendo luz de gas al otro.

Cuando la pareja desapareció en dirección a la cocina, Damián Lobo se deslizó desde el armario de tres puertas a su cueva, donde sufrió, como consecuencia del pequeño esfuerzo realizado, un ataque de sudor tal que le pareció que su cuerpo se diluía en él como una pastilla de jabón en el agua. Tras desnudarse, quedándose solo en calzoncillos, se tumbó boca arriba y en medio de la oscuridad fue repasando su cuerpo con las manos, demorándose en cada costilla como el que afina un instrumento musical.

—Parezco un faquir —se dijo a sí mismo a falta de la presencia de Iñaki O'Kane.

Luego se acarició la larga barba, cuya forma le recordaba a la de Robinson Crusoe en las ilustraciones de un libro antiguo que estaba en la casa de sus padres. Pensó en sí mismo como en un náufrago que había ido a parar a aquel armario igual que Robinson a su isla. Tal vez, pensó, debería haber utilizado una de las paredes del armario para dejar marcas que indicaran el tiempo transcurrido desde su naufragio. Intentó hacer cuentas, pero los días se fundían unos con otros de tal manera que le resultó imposible. El tiempo había desaparecido. Pensaba en él por una especie de reflejo condicionado de su vida anterior. Entonces oyó la voz de Iñaki O'Kane dentro de su cabeza. Le decía que en cierto modo él se había instalado ya en la eternidad.

—¿En la eternidad? —preguntó Damián extrañado.

—Bueno —matizó O'Kane—, en una de las formas posibles de la eternidad.

Fede y la llamada Paula regresaron al dormitorio tarde, quizá habían estado viendo la televisión. Antes de meterse en la cama, mientras iban y venían del cuarto de baño al dormitorio, supuso Damián, pues sus voces cambiaban de lugar constantemente, Fede preguntó:

—¿Y con María qué pasa?

—¿Qué María?

—¿Qué María va a ser? Mi hija.

—No te entiendo, ¿qué le ocurre a María?

—Digo en el caso de que Lucía se muriera.

—Ya estás otra vez con eso.

—Oye, se te ha ocurrido a ti.

—Pero como mero ejercicio imaginativo, no seas cabrón.

—Pues eso, como mero ejercicio imaginativo, ¿qué pasa con María?

—Yo sería una madrastra perfecta. Conecto muy bien con las adolescentes. Además, a mí me parece una cría estupenda, me cae bien.

—No te lo he dicho nunca, pero tiene trastornos con la alimentación.

—Igual que yo a su edad.

—Y no le ha venido la regla.

—A mí no me vino hasta los dieciséis, depende de lo lejos que venga.

—Ella quiere hacernos creer que le ha venido y compra tampones que mancha con tinta roja. Nosotros le seguimos la corriente.

—No seas ingenuo, es ella la que os sigue la corriente a vosotros.

Luego callaron durante unos minutos tras los que, dedujo Damián, se metieron en la cama. Entonces volvió a hablar la llamada Paula.

—¿Cuánto tiempo lleváis en esta casa? —preguntó.

—No llega a un año —dijo Fede—, ¿por qué?

—Porque tiene ya un olor característico. Cada casa tiene su olor, depende de la personalidad de la familia que la ocupe.

—No sé, yo no noto nada —dijo Fede.

—Porque tú lo hueles todos los días, igual que el que fuma no nota el olor a tabaco.

—¿Y a qué huele esta casa?

—No sé, como a leche agria.

—¿A yogur?

—He dicho a leche agria.

—Leche agria suena desagradable.

—No te ofendas, es muy leve. Me trae a la memoria uno de esos olores de la infancia, pero no acabo de identificarlo. Respira fuerte, ¿no notas nada?

—La verdad, no.

Damián pensó que el olor al que se refería la llamada Paula era el que iba desprendiendo él, el fantasma, a lo largo de su proceso de desmaterialización, y quiso decírselo a O'Kane, que no se manifestó. Al otro lado, Fede había puesto la radio, donde emitían el programa deportivo habitual de las noches.

Damián se acomodó para dormir y al cerrar los ojos le vinieron a la cabeza unas imágenes que había descubierto en internet, cuando investigaba las razones más comunes del retraso de la regla. En la Wikipedia, a las trompas de Falopio las llamaban también trompas uterinas. Como la diferencia entre *trompa* y *trampa* era tan pequeña, Damián había leído al principio «trampas uterinas», lo que le produjo unos instantes de desasosiego. Después observó detenidamente los ovarios, donde se formaban los óvulos y de donde partían las trompas que conducían al útero. Dada su capacidad de visualización, ya casi a punto de dormirse, vio dentro de su cabeza el dibujo del aparato reproductor e imaginó el recorrido del óvulo a través de las trompas, en cuya zona media se detenía entre veinticuatro y cuarenta y ocho horas, a la espera del espermatozoide. Si este no llegaba a la cita, avanzaba hacia el útero y caía en él para salir al exterior a través de la vagina. La caída del óvulo le produjo una sacudida, como si se hubiera caído él. Pero ya estaba dormido.

6

Al día siguiente, cuando Fede y la llamada Paula se marcharon a la juguetería, Damián salió de su cueva, aunque en cierto modo siguió en ella. Se quedaba en los sitios por los que pasaba como si hubiera alcanzado algún grado de ubicuidad. Ahora recorría el pasillo sujetándose los pantalones del chándal, que, de tan grandes, se le resbalaban aun después de haberlos ajustado hasta el límite. Se sentó a la mesa de la cocina, llena de platos sucios y restos de comida, pues Fede y la mujer, pese a lo que les había escuchado la tarde anterior, no la habían recogido, y jugó durante unos minutos con la idea de que en realidad, aunque creía estar allí, continuaba en el armario. El sueño y la vigilia habían adquirido la misma textura. Ya no sabía a ciencia cierta si estaba acostado o levantado, si dentro del agujero o fuera de él.

—¿Esto está sucediendo? —le preguntó a Iñaki O'Kane, confiando en que su pregunta le llegase donde quiera que se encontrara el periodista híbrido.

—Esto empieza a suceder —le respondió enseguida O'Kane.

No se manifestó el plató de televisión, tampoco logró ver el rostro ni los ojos amarillos del presentador, solo su voz brotó clara y alta desde algún lugar de su cabeza.

—Qué es lo que empieza a suceder —preguntó Damián.

—Ya has oído la forma de liquidar a Fede: las avispas.

—¿Me estás dando órdenes? —preguntó Damián.

—Tómatelo como quieras, pero actúa —respondió la voz.

—O'Kane —le dijo Damián—, yo te inventé a ti.

—Y yo, para no deberte nada, te estoy reinventando a ti —respondió el presentador.

Damián permaneció en actitud reflexiva unos minutos. No comprendía bien lo que pasaba. La situación le trajo a la memoria un número que había visto de niño en la televisión: aparecía en la pantalla un ventrílocuo convencional con un muñeco típico. Lo extraordinario sucedía al descubrirse que el muñeco era el ventrílocuo y el ventrílocuo el muñeco.

Tomó una taza de té con un poco de leche, se

dirigió al cuarto de María, encendió el ordenador y entró en el foro sobre fantasmas. No había ninguna noticia de Lucía, pero sí muchos participantes que reclamaban la presencia de él. Uno de ellos preguntaba cómo se averigua si en una casa hay o no hay fantasmas.

—Por un suave olor a leche agria —escribió Damián.

Luego salió del foro y tecleó en el buscador la siguiente pregunta:

—¿Qué comen las avispas?

Averiguó que les gustaban los azúcares y las proteínas, aunque comían de todo, de ahí que anidaran con frecuencia en los estercoleros. El artículo mostraba cómo hacer una trampa para avispas con una botella de plástico de dos litros. Consistía en cortarla por debajo del cuello para obtener un embudo que se introducía en la parte inferior de la botella, con la parte estrecha apuntando hacia el fondo, donde previamente se había colocado el cebo. Las avispas lograban entrar guiadas por su olfato, pero luego no hallaban la salida. Parecía tan simple que investigó también si realmente la picadura de una sola avispa podía matar a un alérgico, y la respuesta fue que sí. En menos de una hora, se inflamaban los oídos, la garganta, la lengua, los labios y la glotis, aparecían dificultades respiratorias y disminuía gravemente la presión arterial. Tales eran, entre otros, los síntomas del shock anafiláctico.

Borró, esta vez con especial cuidado, las huellas de su navegación, apagó el ordenador, y fue al garaje, donde la familia, por fortuna, almacenaba el agua mineral que adquiría en grandes cantidades, pues la preferían a la del grifo. Tomó cinco botellas con las que regresó a la cocina y que vació en la pila. Luego, siguiendo las instrucciones, fabricó otras tantas trampas, y colocó de cebo unos pedazos de jamón de York que encontró en la nevera, y salió con mil precauciones (por los vecinos, por los satélites) al jardín de atrás, donde abandonó las trampas en lugares donde pudiera observarlas desde la ventana. Las avispas tardaron en acudir más de lo que había calculado, al principio de una en una, luego en parejas o tríos. A la media hora había una pequeña nube sobrevolando erráticamente los recipientes de plástico. Una de ellas se posó al cabo en el borde de uno de los embudos y desde él fue descendiendo guiada por su olfato hacia el jamón de York. En el transcurso de la mañana, cayeron casi treinta avispas entre las cinco botellas.

El problema ahora era trasvasarlas al cubo de la basura de la cocina, pues tal era su objetivo. Investigó de nuevo en internet, donde averiguó que el humo las aturdía y que resultaba sencillo producirlo con un trozo de papel de aluminio y unas bolas de papel de periódico. Bastaba con fabricar con el papel de aluminio un tubo cerrado por una de sus partes y rellenarlo luego con bolas del papel de periódico. Al aplicar la llama de un mechero en la parte cerrada del tubo, la celulosa del papel se calentaba, produciendo un humo muy denso.

Llevó a cabo toda la operación en el fregadero de la cocina, para facilitar la recogida de los restos. Tal como había estudiado en el artículo de internet, el tubo de aluminio se convirtió en un cañón de humo sobre el que fue colocando, de forma invertida, las botellas en las que permanecían atrapadas las avispas. La reacción de los insectos fue casi inmediata. Primero dejaron de andar y de batir las alas para precipitarse enseguida, como muertas, en los alrededores del embudo. Completada esta operación, las arrojó al interior del cubo de la basura, donde dejó caer también un trozo de pescado medio descompuesto que llevaba varios días en la nevera, y del que dejó una parte en el suelo, como si se le hubiera caído inadvertidamente a alguien. Tapó luego el cubo y, aplicando el oído a su pared, permaneció atento durante unos minutos, con el corazón en la garganta, hasta que escuchó el susurro provocado por el vuelo de los insectos, que, pese a las apariencias, habían estado dormidos y no muertos.

La voz le dijo que se tomara su tiempo para limpiar los restos del papel quemado al objeto de no dejar rastros y así lo hizo, recordando la meticulosidad con la que trabajaba cuando se ganaba la vida en las tareas de mantenimiento. Eliminó absolutamente las cenizas y arrojó por el retrete, en bolas muy apretadas, el papel de aluminio utilizado para la operación. Bastó con que tirara una sola vez de la cadena para que el agua se lo llevara todo por las tuberías.

Estaba el problema de las botellas para el que no halló otro remedio que cortarlas en trozos pequeños que, envueltos en una bolsa de la basura, escondió en el armario que le servía de guarida. Finalmente ventiló la cocina para eliminar los vestigios del humo, y dejó abierta la ventana para justificar la entrada de los insectos. Luego regresó a su escondite, del que cada vez le costaba más salir y al que cada vez le daba menos pereza entrar.

Tumbado sobre el sucedáneo de cama formado por las puertas del armario empotrado, con las manos apoyadas en el vientre y los ojos cerrados, intentó evocar, sin conseguirlo, el viejo plató de O'Kane. El asunto le produjo extrañeza. Intentó evocar entonces los rostros de su padre y de su hermana china, que tampoco acudieron a su cabeza, y le preguntó mentalmente a Iñaki O'Kane si aquella amputación era obra suya.

—Se trata de una cuestión económica —respondió O'Kane de inmediato—. Has de ahorrar energías para los tiempos que vienen.

—¿Qué tiempos vienen? —preguntó Damián.

—Aquellos a los que has convocado —sentenció la voz.

A cambio de la dificultad para la fabricación de determinados objetos mentales, algunos de sus sentidos se habían aguzado hasta extremos inconcebibles. Podía escuchar el timbre del teléfono de una casa vecina u oler cualquier partícula en suspensión, y habría sido capaz de recorrer la vivienda con los ojos cerrados, guiándose tan solo por el tacto y por el olfato. Ese aguzamiento le producía una suerte de euforia serena y de seguridad que le otorgaban en el universo un lugar del que hasta entonces había carecido.

A la caída de la tarde, Damián oyó el sonido familiar de la puerta del garaje al replegarse sobre el techo y se puso en estado de alerta. Con los ojos abiertos a la oscuridad del armario, siguió primero los movimientos del automóvil y oyó enseguida los ruidos de las puertas de delante del coche al abrirse y cerrarse. Volvían de nuevo los dos, Fede y la llamada Paula, cuyas voces, pese a la distancia, distinguió sin problemas. Siguió su itinerario girando alternativamente la cabeza, con los movimientos nerviosos de un pájaro, hacia un lado u otro en busca de la mejor posición para los oídos. Ahora subían los cuatro escalones por los que se accedía desde el garaje a la puerta de la vivienda, ahora se oía el ruido de la cerradura, ahora los cuerpos se introducirían en el pasillo... Oír, en el grado en el que él lo hacía, era casi como un modo de ver.

La pareja, acuciada por el deseo, se dirigió al

dormitorio, donde comenzaron un intercambio verbal de provocaciones sexuales que interrumpió Fede al preguntar:

—¿De dónde viene esa peste?

—Será el fantasma —bromeó Paula.

—Los fantasmas no huelen a muerto —dijo el hombre—, debe de venir de la cocina, que al final la dejamos sin recoger. Espera un momento.

—No tardes —dijo Paula.

Los pasos del hombre se alejaron por el pasillo. Luego hubo un instante en el que la realidad sufrió una interrupción breve, como cuando la luz se va y vuelve en cuestión de segundos. Durante ese paréntesis, Damián imaginó a Fede abriendo mecánicamente el cubo de la basura para agacharse enseguida sobre la bolsa, en busca de la cinta de cierre camuflada en sus bordes. Todo ello sin percibir aún la existencia del enjambre que se hallaba en su interior y que, según lo previsto, se sentiría atacado por los movimientos del hombre. Cuando el paréntesis se cerró, los aullidos de Fede, primero procedentes de la cocina, luego del pasillo, rebotaron por las paredes de toda la casa. Al entrar en la habitación, calculó Damián, debía de llevar varios picotazos en la cara, quizá alguno en el cuello, y, sin duda alguna, en las manos. Sus gemidos no eran los del que está a punto de ser ajusticiado, sino los del que, habiéndolo sido, implora que no se le dé el tiro de gracia.

—¡Avispas, avispas! —informó a Paula con desesperación.

—¡El antídoto! —gritó ella.

—¡Son demasiadas y me están abrasando! ¡Llama al 112!

Damián cerró los ojos, para poner todas sus energías en la escucha y entonces, sorprendentemente, «vio» con los oídos cómo Fede, sin dejar de dar manotazos al aire, se desplomaba en la cama del dormitorio mientras la llamada Paula corría de un lado a otro de la casa, incapaz de tomar ninguna determinación. «Vio» también las dudas y preguntas que atravesaban la cabeza de la mujer: ¿cómo era posible que le hubiera sucedido a Fede el accidente que a ella se le había ocurrido para Lucía? Si la policía observara en el caso indicios de criminalidad, ¿sería ella la primera sospechosa? ¿Debía huir? Pero eso, ¿no aumentaría las sospechas?

Todo sucedía en décimas de segundo que se estiraban como si el tiempo se hubiera convertido en una materia plástica. Y mientras Paula titubeaba corriendo de un lado a otro de la casa, el pequeño enjambre de avispas se encarnizaba sobre el cuerpo de Fede, que se retorcía sobre la cama intentando cubrirse el cuerpo con las sábanas.

—¿Lo oyes? —preguntó la voz.

—Lo veo con los oídos —respondió Damián, estupefacto ante esta capacidad recién adquirida, producto, supuso, del ayuno y propia, sin duda, de los seres fantasmales.

En efecto, podía distinguir el vuelo de cada una de las avispas y situarlo mentalmente en el espacio. Picaban una y otra vez, pues su aguijón, al contrario del de la abeja, era liso y podía entrar y salir con facilidad de la carne. El clímax, habiendo alcanzado su cénit, se prolongó de una manera insólita, aunque, al cabo, empezó a ceder. Las avispas, que durante el ataque se habían comportado como un solo individuo, comenzaron a dispersarse, lo que Damián volvió a «ver» también con los oídos. Se abrieron como una bola de fuegos artificiales convirtiéndose en pequeñas exhalaciones que se distribuyeron enseguida por las dependencias de la casa.

Llegó un momento en el que solo se oyó la respiración agónica de Fede. Luego hubo otro paréntesis temporal y, tras él, se oyeron las sirenas de la ambulancia, de los bomberos, quizá de la policía también, así como el ir y venir de una docena o más de piernas que dibujaban una caligrafía borrosa sobre del suelo de la vivienda. A Damián le fue dado «ver» de nuevo con los oídos el ejército de zapatos y zapatillas deportivas que recorría atolondradamente la casa, como un ejército confuso. Vio y escuchó a la vez las explicaciones apresuradas de Paula, interrumpidas, más que por el llanto, por una respiración agitada y discontinua que le impedía completar las oraciones.

—Hay que estabilizarlo —dijo un hombre.

—Me parece que aquí hay poco que estabilizar —respondió una mujer.

Hablaban alejándose en dirección a la puerta del dormitorio, trasladando sin duda a Fede en una camilla hacia la UVI móvil que Damián imaginó en la puerta de la vivienda.

—Es el tercer aviso por avispas y casi no ha empezado el verano —dijo luego, seguramente, un bombero.

—Año de avispas, año de nieves y ventiscas —replicó alguien muy cerca del escondite de Damián.

—He revisado todos los rincones y no hay ningún nido —señaló un tercero desde la puerta del dormitorio—, pero la ventana de la cocina estaba abierta y había restos de comida por todas partes. La bolsa de la basura estaba en el suelo, con la mierda desparramada. Lo más probable es que estuvieran devorando un trozo de pescado medio podrido que había dentro cuando el pobre tipo tiró de ella para llevarla fuera.

A Damián, tan admirador de los manuales de usuario, le pareció perfecto que, una vez más, la práctica se plegara de este modo a la teoría.

7

Al poco de que se llevaran a Fede y de que con él desaparecieran también la llamada Paula y quizá los bomberos, invadió la parte de la casa más próxima a la cueva de Damián otro grupo de profesionales. Distinguió cuatro voces, dos de ellas de hombre y las otras dos de mujer. Los escuchó ir de un sitio a otro, mover muebles, abrir armarios. Se daban instrucciones o intercambiaban comentarios sobre el estado de la casa. Finalmente, el que parecía estar al mando del equipo y una de las mujeres recalaron en el dormitorio principal. El hombre abrió el armario de madera tras el que se ocultaba Damián y movió las perchas al tiempo que decía:

—Bah, no hay nada que rascar. Una ventana abierta, un cubo de la basura mal cerrado, con pescado podrido dentro, y un alérgico idiota revolcándose con su amante mientras su mujer está fuera, visitando a su madre enferma. ¡Qué par de guarros! Mira cómo han dejado también la habitación, apesta a semen.

La mujer asintió de manera mecánica, como absorta en algo que Damián no pudo adivinar, al tiempo que el supuesto jefe volvía a cerrar el armario y se alejaba en dirección al pasillo.

—Hemos hablado con la esposa del alérgico y está de vuelta —informó ahora la mujer—. Si no ves razones para precintar la vivienda, llegará esta noche o mañana, pero fíjate con lo que se va a encontrar, la pobre. Ayúdame por lo menos a estirar un poco estas sábanas.

—¿Tú estás loca? Anda, vámonos, que he de redactar todavía el informe y tengo una reunión en el colegio de mis hijos.

En unos minutos, desaparecieron los cuatro y la casa quedó en silencio. Tras aguardar todavía media hora por razones de seguridad, Damián salió del agujero y recorrió la vivienda llevando a cabo mentalmente una contabilidad de los daños. El desorden se había multiplicado con la intervención de la policía y los bomberos, pero calculó que disponía al menos de cuatro o cinco horas, quizá más, antes de que se presentaran Lucía y María.

Decidió comenzar la limpieza por la cocina, sin agobios. Ya hacía tiempo que había perdido las prisas, pero tenía memoria de ellas como de los quilos de peso que se habían ido por algún sumidero invisible de su cuerpo. Un fantasma, se dijo mientras empezaba a recoger los cacharros dispersos por la encimera y la mesa, dispone de todo el tiempo del mundo. La palabra *mundo* le trajo a la memoria el título de una canción que le gustaba a su madre, *Un mundo raro*, que comenzó a tararear mientras cargaba el lavavajillas.

El mundo, aun sin hallar con qué compararlo, había sido en efecto un sitio raro. Seguía siéndolo, porque esa era su naturaleza, pero un poco menos desde que Damián hubiera encontrado su lugar en él. Que su lugar fuera un armario empotrado, oculto tras otro de madera, le daba a la situación un carácter interesante desde el punto de vista meramente biológico. Se había convertido, pensó con una sonrisa, en una especie de araña que desde una esquina a la que nadie prestaba atención controlaba, protegida por la tela, los movimientos del universo.

Tras poner en marcha el lavavajillas, se dispuso a fregar a mano los cacharros que no cabían en él sin dejar de canturrear. La melodía de la canción, convertida ya en una salmodia, le ayudaba a pensar. Dadas las circunstancias, no había que descartar la contingencia de que se presentara de súbito en la vivienda algún pariente o amigo de Lucía para poner orden antes de que ella llegara con su hija. Pero no era probable. Lucía confiaría en él, en el Mayordomo Fantasma, quizá sabía, o sospechaba al menos, que la muerte de Fede había sido obra suya, y le dejaría hacer.

De hecho, se detuvo unos segundos, cerró los ojos, y, con el estropajo en la mano derecha y una sartén en la izquierda, entró mentalmente en la cabeza de Lucía al modo en que un *hacker* penetra en un ordenador ajeno. Le pareció que, dentro de lo afectada que estaba por el suceso, le agradecía que la hubiera librado de su marido. Antes de que se sintiera invadida, Damián salió de su cabeza con el cuidado con el que salía del armario, tomando nota de la ruta que había empleado para entrar. Recordó también a Sergio O'Kane, y a Iñaki Gabilondo, así como la fama más o menos banal que cada uno le había proporcionado, y pensó en la notoriedad de la que disfrutaba ahora como Mayordomo Fantasma. Una fama de la que su beneficiario permanecía ausente. Dios era quizá el ser más famoso del universo sin que nadie, jamás, con la excepción de algún trastornado, lo hubiera visto. Eso era el poder, la capacidad de actuar desde la sombra.

Tras dejar la cocina en orden y colocar los muebles del salón, barrió y pasó la aspiradora por el pasillo. El resto de la casa estaba limpio porque no se había utilizado, así que solo quedaban el dormitorio principal y el baño anexo. Sin encender la luz, aunque ya había anochecido, para no alertar a los vecinos de su presencia, quitó las sábanas sucias y las fundas de las almohadas, que introdujo en la lavadora, junto a la ropa interior y las camisas que Fede había abandonado en cualquier parte. Provisto de unos guantes de goma, limpió el retrete, el lavabo y la bañera, después hizo la cama con sábanas limpias, pasó la aspiradora por la moqueta y se detuvo unos instantes en la puerta para observar el resultado a la tenue luz que entraba por la ventana, procedente de las farolas de la urbanización. Todo estaba de nuevo en orden y aún no era medianoche. Lo más probable, pensó, era que Lucía y María durmieran fuera, en casa de algún familiar o en un hotel, y que no aparecieran hasta el día siguiente.

Regresó a la cocina, tomó un plátano de la nevera y fue a comérselo al salón, delante de la tele, aunque tampoco se atrevió a encenderla. De vuelta en el dormitorio, se tumbó boca arriba sobre la cama, en el lado de Lucía, encendió la radio, y esperó a que dieran las noticias. Al poco, salió el caso de Fede, cuyo cuerpo se hallaba en el Anatómico Forense, a la espera de la autopsia. La locutora, tras advertir a los alérgicos y al público en general de que, debido a la climatología del invierno, había este año más avispas de lo habitual, entrevistó brevemente a un bombero que aconsejó cómo actuar frente a la presencia de un nido.

Damián calculó que no le harían la autopsia al cadáver hasta el día siguiente y que no lo enterrarían o incinerarían hasta veinticuatro horas después. Apagó la radio, se incorporó, alisó la colcha y se preguntó si sería prudente darse una ducha. En todo caso, decidió correr el riesgo. Tras la ducha, se recortó primero y se afeitó luego la larga barba de náufrago, cuyos restos hizo desaparecer por el retrete. El rostro que apareció en el espejo al retirar la barba era el de un desconocido con el que empatizó enseguida.

—Nos llevaremos bien —le dijo.

Tras asearse, abrió la puerta central del armario de madera, retiró a un lado las perchas y accedió a través de la puerta camuflada del fondo a su guarida. Se durmió en posición fetal, imaginando que aún no había nacido y que se encontraba dentro del útero materno, aunque ya con la cabeza boca abajo como si el feliz acontecimiento estuviera a punto de producirse. El feliz acontecimiento, repitió para sí mismo.

8

Lucía y la niña se presentaron en la casa a media mañana del día siguiente, en compañía de la madre de Lucía, que ocupó la habitación de invitados. Damián supuso que habían pasado la noche en un hotel o en la casa de algún familiar. Las escuchó deambular en silencio por la vivienda o hablándose en voz baja, como en las capillas ardientes, aunque allí, pensó Damián, no ardiera nada. La madre de Lucía elevaba de vez en cuando la voz para referirse a alguna cuestión de orden práctico, pero enseguida la volvía a bajar aplastada por el peso de aquella atmósfera de tanatorio. El fantasma la oyó asombrarse de lo limpia y ordenada que estaba la casa, pese a las informaciones que habían recibido de los bomberos, a lo que Lucía respondió que se habían ocupado de todo unas compañeras de trabajo.

—¿Qué compañeras? —preguntó la niña.

—Da igual, no las conoces —dijo Lucía en tono cortante.

Al rato, entraron en el dormitorio principal madre e hija, deteniéndose, intuyó Damián, frente al armario.

—¡El armario de mis padres! —exclamó la madre.

—Tal como te lo conté —dijo Lucía.

—¿Estás segura de que es el mismo?

—Sí, mira, en el costado están mi nombre y el de Jorge, con marcas que señalaban nuestra estatura.

—¿No te parece que queda un poco siniestro, hija?

—A mí me gusta, mamá.

Damián percibió cómo una de las dos mujeres, probablemente la madre, abría la puerta central y se asomaba al interior.

—Huele raro —dijo.

—Es por un ambientador que trajo Fede, pero ya lo he quitado.

—¿Y el fantasma? —preguntó la madre al tiempo que articulaba una sonrisa que Damián pudo percibir desde su agujero.

—¿Qué fantasma? —preguntó Lucía.

—El que vino con el armario.

—Ah, eso, una tontería. Al principio me trajo tantos recuerdos de cuando viví con los abuelos que me sugestioné.

La puerta del mueble volvió a cerrarse y madre e hija abandonaron la habitación y se dirigieron por el pasillo hacia el fondo de la casa.

El resto del día discurrió tranquilo, aunque el teléfono y el timbre de la puerta de la calle sonaron con insistencia. Llamadas de pésame, pensó Damián, y las clásicas visitas de circunstancias que venían a expresar su solidaridad a la viuda y a la huérfana. En cualquier caso, todo ello sucedía en una atmósfera de sosiego que llegaba a cada rincón de la vivienda, incluido el refugio del fantasma.

Lucía se acostó pronto. Damián escuchó todos sus movimientos desde que entró en la habitación y cerró la puerta. A medida que los escuchaba, los iba a traduciendo a esa nueva forma de visión interna que su cerebro había desarrollado de manera espontánea. La vio, pues, sentarse a los pies de la cama, frente a la puerta central del armario, y permanecer quieta allí durante unos minutos, mirándose en el espejo con manchas oscuras provocadas por la oxidación del azogue. La vio luego dirigirse al cuarto de baño, vio cómo la puerta se cerraba, la vio sentada en el retrete, con la mirada perdida en algún punto del espacio. Vio cómo se cepillaba los dientes, se desmaquillaba quizá, cómo se desnudaba, abandonando la ropa sobre el bidé, vio cómo se recogía el pelo para no mojárselo y se daba una ducha corta. La vio regresar a la habitación, abrir la cama, meterse entre las sábanas y apagar la luz.

Entonces escuchó su respiración y comprendió que era anhelante. Damián pensó en Fede, cuyo cuerpo recogerían al día siguiente del Anatómico Forense. Ya le habrían hecho la autopsia sin hallar nada que no fuera el veneno de las avispas. ¿Pero se merecía la memoria de Fede unos días de tregua? Desde luego que no.

Aguardó no obstante unos minutos más, dejando que pasaran por su cabeza, como dicen que pasan por la cabeza del ahogado, las escenas que resumían su vida anterior, y comenzó a nacerse. Abrió la puerta falsa y desde ella entró en el armario de madera, haciéndose paso entre los vestidos de Lucía como si fueran membranas orgánicas, mucosas que tenía que atravesar en su recorrido hacia la vida de fantasma real que le aguardaba. Cuando abrió la puerta central del armario, Lucía gimió. Estaba acostada de lado, con las piernas encogidas. Damián dijo: soy yo, no sufras, y tras desprenderse del chándal se metió en la cama tomándola por la espalda, acoplándose a ella como la música a la letra. Era más menuda de lo que había imaginado, y más sutil también. Entonces, dentro de su cabeza, escuchó la voz:

—Ya has llegado —le dijo.

—¿Adónde? —preguntó Damián.

—Adonde quiera que fueses —respondió la voz.

Y eso fue todo.

ÍNDICE